FENOMENOLOGIA E PSICOLOGIA CLÍNICA

FENOMENOLOGIA E PSICOLOGIA CLÍNICA

José Paulo Giovanetti (Org.)
Claudia Lins Cardoso
Maria Madalena Magnabosco
Miguel Mahfoud
Saleth Salles Horta
Telma Fulgêncio Colares da Cunha Melo

Fenomenologia e psicologia clínica

Copyright © 2018 Artesã Editora

1ª Edição - 6ª Reimpressão setembro de 2025

É proibida a reprodução total ou parcial desta publicação, para qualquer finalidade, sem autorização por escrito dos editores.

Todos os direitos desta edição são reservados à Artesã Editora.

DIRETOR
Alcebino Santana

DIREÇÃO DE ARTE
Tiago Rabello

REVISÃO
Silvia Pereira Barbosa

CAPA
Artesã Editora

PROJETO GRÁFICO E DIAGRAMAÇÃO
Conrado Esteves

F339
    Fenomenologia e psicologia clínica / organizador: José Paulo Giovanetti. – Belo Horizonte : Ed. Artesã, 2018.
    160 p. ; 21 cm.

    978-85-7074-004-5

    1. Fenomenologia. 2. Psicologia clínica. 3. Psicoterapia.
    I. Giovanetti , José Paulo.

                                    CDU 165.6:615.85

Catalogação: Aline M. Sima CRB-6/2645

IMPRESSO NO BRASIL
Printed in Brazil

ARTESÃ EDITORA LTDA.
Site: www.artesaeditora.com.br
E-mail: contato@artesaeditora.com.br
Belo Horizonte/MG

Sumário

Apresentação..7
José Paulo Giovanetti

1. Fenomenologia e prática clínica.............................11
José Paulo Giovanetti

2. Apontamentos sobre a utilização
do método fenomenológico na psicoterapia...............33
Claudia Lins Cardoso

3. Subjetividade como acontecimento, centro pessoal
e plantão psicológico: horizontes reabertos..............53
Miguel Mahfoud

4. Um olhar fenomenológico sobre
o processo psicoterapêutico da criança....................73
Telma Fulgêncio Colares da Cunha Melo

5. Depressão: um mal do ser humano...
em todos os tempos...115
Saleth Salles Horta

6. Psicopatologia fenomenológica:
expressões contemporâneas da depressão..............135
Maria Madalena Magnabosco

Os autores...157

Apresentação

Estamos iniciando uma nova série de publicações dos professores do curso de Especialização em Psicologia Clínica: Gestalt-Terapia e Análise Existencial, agora organizado pela Universidade Federal de Minas Gerais (UFMG). Este primeiro livro da série, intitulado *Fenomenologia e Psicologia Clínica*, é uma reformulação do antigo livro *Psicologia Clínica e Psicoterapia*, editado em 2013 pela FEAD – Centro de Gestão Empreendedora. A edição atual, por um lado, mantém os artigos, alguns deles reformulados, dos professores que participaram do primeiro projeto e que, agora, permanecem conosco nesta nova caminhada. Por outro lado, fazem parte desta publicação dois novos professores, Miguel Mahfoud e Maria Madalena Magnabosco, que não haviam participado do livro anterior.

O nosso esforço é apresentar ao público interessado na abordagem da Psicologia Existencial textos que possam trazer pistas de reflexão acerca do trabalho clínico inspirado nessa perspectiva. Escolhemos, também, destacar o conceito de fenomenologia, uma vez que esse método nos ajuda a sedimentar um trabalho sério tanto para a Gestalt-Terapia quanto para a Análise Existencial.

Nesse cenário, abrimos este novo livro com um conjunto de textos dos professores de Psicologia do Curso de Especialização em Psicologia Clínica organizado pela UFMG. O primeiro texto, de autoria do professor José Paulo Giovanetti, intitulado "Fenomenologia e prática clínica", apresenta o modo de pensar fenomenológico, destacando o que venha a ser a matriz fenomenologia. Em seguida, procura explicitar em linhas gerais o que seja uma psicologia fenomenológica esboçada pelo fundador da fenomenologia, Edmund Husserl. Por fim, explicita, também em linhas gerais, algumas questões mais significativas da psicoterapia fenomenológica.

Na sequência, o texto da professora Cláudia Lins Cardoso, "Apontamentos sobre a utilização do método fenomenológico na psicoterapia", alerta para uma questão muito pertinente na prática clínica: como a atuação do psicoterapeuta de inspiração fenomenológica deve se dar de modo a permitir a melhor compreensão da pessoa do cliente, e, ao mesmo tempo, ajudá-la a ampliar sua própria percepção como um ser-no-mundo. Assim, vale observar o que caracteriza uma postura fenomenológica para esse trabalho clínico.

O texto do professor Miguel Mahfoud, "Subjetividade como acontecimento, centro pessoal e plantão psicológico: horizontes reabertos", ajuda-nos a mergulhar na prática clínica, tendo como ponto de partida a pergunta: "Quem sou eu?". O texto desvela o centro pessoal como o lugar para a compreensão dos processos pessoais e coletivos da vida humana. Elabora, ainda, o foco na atividade clínica denominada Plantão Psicológico como o lugar no qual a pessoa pode ficar mais centrada e elaborar suas vivências.

Em seu turno, o texto da professora Telma Fulgêncio Colares da Cunha Melo, "Um olhar fenomenológico sobre o processo psicoterapêutico da criança", trata do que seja o brincar e seu significado na existência, para, em seguida, propor uma reflexão sobre o sentido do brincar na relação terapêutica. O texto trabalha essas duas questões segundo um olhar fenomenológico.

A questão da depressão é colocada em destaque no livro, já que se trata de um dos grandes problemas da contemporaneidade. É importante destacar a singularidade de cada uma das contribuições.

O texto da professora Saleth Salles Horta, "Depressão: um mal do ser humano... em todos os tempos", aborda um dos termos mais relevantes do início do século XXI, a depressão, evidenciando que, hoje em dia, essa doença atinge todas as idades e classes sociais. Com maestria, busca uma compreensão fenomenológica para esse fenômeno e salienta como se deve olhar um paciente que está vivendo uma depressão. Para finalizar, destaca a importância de uma busca interdisciplinar para que a ação clínica seja mais eficaz.

Por fim, o texto da professora Maria Madalena Magnabosco, intitulado "Psicopatologia fenomenológica: expressões contemporâneas da depressão", lança nova luz sobre o conceito de neurose, com base nos fundamentos de uma Antropologia Filosófica, em contraposição às concepções organicistas da Psiquiatria Clássica. Além disso, destaca uma compreensão do adoecimento diante das situações-limite do existir humano e algumas reflexões contemporâneas sobre as expressões fenomênicas da depressão em um mundo que se recusa a pensar e a compreender o ser.

Esperamos, portanto, que os textos aqui apresentados possam incentivar o nosso leitor em sua busca cada vez mais fundamentada em uma abordagem fenomenológico-existencial para sua prática clínica.

José Paulo Giovanetti
Professor do Curso de Especialização
em Psicologia Clínica da UFMG

Fenomenologia e prática clínica

José Paulo Giovanetti

Um pouco mais de 100 anos do nascimento da fenomenologia, continuamos a descobrir o valor e a aplicabilidade desse pensamento. Ora, isso nos leva a nos perguntarmos: qual foi a revolução que a fenomenologia realizou no início do século XX? Para entendermos o alcance de sua importância, devemos destacar as correntes de pensamento que predominavam no fim do século XIX e no início do século XX.

Nesse período, temos a presença de várias correntes filosóficas. No entanto, duas correntes, o idealismo e o positivismo, se destacavam como as mais significativas. O idealismo, aqui, é a corrente filosófica cujos fundadores foram Fichte (1762-1814) e Schelling (1775-1854), mas que teve em Hegel (1770-1831) o seu maior expoente. Entretanto, na época de Husserl (1859-1938), fundador da fenomenologia, prevalecia um idealismo com base no pensamento de Kant (1724-1804), no qual o predomínio era o da ideia, isto é, das construções *a priori* e puramente mentais.

Isso significava que o aspecto racional do ser humano era o destaque. A máxima de Hegel era: "O que é racional é real, o que é real é racional". Essa afirmação expressava que só tinha valor aquilo que a razão penetrava e, por conseguinte, a desconfiança na experiência sensorial era muito grande.

Segundo essa perspectiva filosófica, "[...] o espírito é aquilo que nós chamamos de atividade espiritual, o elemento racional" (ALES BELLO, 2004, p. 46).

O positivismo, por sua vez, dava ênfase ao método exato e foi criado no século XIX por Augusto Comte (1798-1857), época em que a ciência aparecia como guia fundamental na compreensão da realidade e da vida humana. Entende-se por positivo, aqui, "aquilo tudo o que pode ser investigado pela ciência" (ALES BELLO, 2004, p. 42). Essa corrente filosófica aposta que só a ciência se apresenta como a verdadeira fonte do conhecimento, bem como o método científico, decorrente dessa perspectiva, de ver a realidade como o único verdadeiro.

É na encruzilhada desses dois pensamentos que surge a fenomenologia, que se distancia das construções idealistas e positivistas, buscando, sobretudo, um retorno à objetividade, opondo-se, assim, ao idealismo. Quanto ao positivismo, a fenomenologia se distancia das ciências da natureza e se inclina em direção à busca do ser essencial das coisas, quer dizer, ao conhecimento das essências. É a compreensão daquilo que aparece, bem como dos fenômenos que aparecem à consciência. Deve-se deixar de lado os aspectos acessórios e debruçar-se no conteúdo essencial dos dados fenomênicos. Dessa forma, a fenomenologia se apresenta como uma atitude metódica, como um método de investigação radical, a saber, como busca de uma compreensão do fenômeno antes de toda construção sistemática e qualquer interpretação. Enfim, é a busca da essência do ser enquanto se manifesta.

1. Matriz fenomenológica

No início de seu artigo para a Enciclopédia Britânica, Husserl destacava a novidade da fenomenologia em dois aspectos, como uma disciplina psicológica apriori e como uma filosofia, dizendo: o termo fenomenologia designa um novo método de descrição filosófica que surge na virada do século passado (do século XIX para o século XX), incluindo uma disciplina psicológica, de antemão, uma psicologia fenomenológica (HUSSERL, 2001), capaz de fornecer uma base sólida para a psicologia empírica e uma filosofia universal, portanto, uma fenomenologia transcendental. (HUSSERL 2001, p. 223) Desse modo, no artigo, que é um verbete para a mencionada Enciclopédia, Husserl desenvolve de forma sintética esses dois aspectos da fenomenologia.

O que temos que destacar nesse momento é o que significa o método fenomenológico, ou seja, o que é o pensar fenomenológico; o que significa olharmos a realidade a partir dessa nova visão de entender o mundo. Para Husserl, o que interessa é o fenômeno, melhor dizendo, é aquilo que aparece, aquilo que se mostra. Não interessa a existência e as características do objeto em si, mas como o objeto se mostra à consciência. Na verdade, para Husserl, o significado, o sentido do objeto para nós, é o que interessa ao fenomenólogo. Como exemplo, podemos tomar o objeto árvore. Não interessa a constituição de árvore, sua altura, sua fortaleza, etc., todavia interessa como ela se manifesta para o ser humano. Para um marceneiro, ela aparece como uma boa madeira, para que ele possa fabricar um móvel; já para um viajante, aparece como um lugar, debaixo do qual ele pode descansar de sua caminhada; e, para o artista, aparece como um objeto que embeleza a paisagem, a natureza. Nesse ínterim, captar o sentido de como o objeto se manifesta para o ser humano é o objetivo fundamental da fenomenologia.

Apossar-se dessa postura significa fazer uma série de operações, é descobrir um caminho para que nos desliguemos dos objetos em si e nos voltemos ao sentido que surge da relação de nossa consciência com o objeto. "Todas as coisas que se mostram a nós, tratamos como fenômenos, que conseguimos compreender o sentido" (ALES BELLO, 2006, p. 14). Pensar fenomenologicamente é criar uma postura de ver o mundo que nos abre para a possibilidade de captarmos o sentido e os significados, é superarmos a visão objetivante das ciências, que classifica todos os objetos segundo categorias predeterminadas. A fenomenologia se contrapõe ao reino das ciências naturais: "Na ciência natural, tudo parte da e se constrói sobre a percepção sensível, externa e interna, enquanto na fenomenologia, por outro lado, tudo parte da e se constrói sobre a intuição categorial ou sobre a visão das essências" (BINSWANGER, 2013, p. 100).

Conforme Husserl, captar a essência das coisas é captar o sentido. É através do sentido que captamos a essência. Husserl usa, também, a palavra *eidos* (de onde vem a nossa palavra ideia, que nesse caso não significa tanto um produto da mente, mas sentido), "aquilo que se capta, que se intui" (ALES BELLO, 2006, p. 22). Aquilo que se revela à consciência, que aparece na consciência. Binswanger (2013), em sua palestra "Sobre a fenomenologia", explicando o método fenomenológico, diz: "O princípio fundamental do método fenomenológico é a restrição da análise ao que pode ser efetiva e previamente encontrado na consciência ou, em outras palavras, ao que se mostra imanente à consciência" (p. 106). Logo, a fenomenologia deve ser uma "doutrina puramente descritiva das essências das configurações imanentes da consciência" (BINSWANGER, 2013, p. 110).

Todo o esforço da fenomenologia será o de captar o sentido das coisas, e não o fato em si. Nesses termos, para construirmos esse pensar fenomenológico, Husserl lança mão de um método com duas operações que ele denomina de reduções: a redução eidética e a redução transcendental.

Nesse sentido, apresentamos a fenomenologia como um método, como um caminho para captarmos a essência das coisas, a compreensão do fenômeno, daquilo que se manifesta à consciência. Assim, o projeto fenomenológico buscará, também, a explicitação das estruturas implícitas da experiência. Para darmos esses dois passos, será necessário entendermos o significado das reduções e o alcance de cada uma delas.

A primeira redução denominada de redução eidética, ou psicológica, visa a captar a essência das coisas, dos fenômenos, que nada mais é do que o sentido. Consoante Husserl, *eidos*, de onde vem a palavra ideia, não significa um produto da mente, mas o sentido (ALES BELLO, 2006, p. 22). A operação que deve ser feita é colocar entre parênteses o mundo, isto é, a realidade concreta. Não é negar a realidade que interessa muito aos positivistas, porém, é buscar compreender como a realidade se manifesta para mim. No exemplo dado no início de nossa reflexão, não interessa a estrutura da árvore, mas como eu a capto, ou melhor, qual é o sentido da manifestação da árvore para mim.

Por isso que, nessa perspectiva fenomenológica, não interessa o fato, pelo contrário, o que interessa é o sentido do fato. Dessa maneira, a consequência imediata para o terapeuta é trabalhar não com o fato, mas com a representação do fato. Essa atitude de colocar entre parênteses todas as teorias explicativas da realidade, e se fixar naquilo que se manifesta, é o que Husserl chama de redução filosófica, de *epoché*, significando que a reflexão filosófica deve abandonar toda atitude ingênua e dogmática para poder captar a essência das coisas. Essa atitude significa uma virada na compreensão da realidade. Como diz Binswanger (2013), o fenomenólogo busca "se imiscuir no significado das palavras, ao invés de retirar juízos a partir de conceitos" (p. 122).

Se, na primeira redução, suspendia-se a postura ingênua e dogmática, agora, na segunda redução, denominada de redução transcendental, ou fenomenológica, busca-se compreender quem é o sujeito que elabora o sentido. Entretanto, não é a compreensão do sujeito como indivíduo, como sujeito concreto; contudo, é a estrutura universal do eu. Essa redução não deve só colocar entre parênteses o mundo exterior ao sujeito, mas, também, o eu empírico, o sujeito tal como se apresenta na experiência vivida. É compreender o ser humano através da análise de suas vivências, e, com isso, destacar algo que é universal a ele: "As vivências são as operações que todos os seres humanos podem realizar, pois compõem suas estruturas, pertencem à estrutura transcendental do ser humano" (ALES BELLO, 2005, p. 51).

Compreender as estruturas universais do ser humano, ou melhor, aquilo que é comum a todo homem, é desvendar não o sujeito particular, empírico, todavia, é o sujeito puro, que Husserl denomina de sujeito transcendental. O que vai variar de pessoa para pessoa é o conteúdo do ato; em contrapartida, a estrutura é a mesma. Por exemplo, na atividade perceptiva, a saber, na análise da percepção, chegaremos por meio das reduções a compreender como se dá a vivência da percepção, especificamente, o que significa perceber.

Prosseguindo, o conteúdo da percepção é de cada um, é do sujeito empírico. A estrutura revela o sujeito transcendental. Podemos estender essa análise da percepção para a operação da recordação, da imaginação, da fantasia, e, através dessas análises, vamos compreendendo o sujeito humano. Temos, também, vivências que nascem da atividade espiritual do homem, como as vivências que derivam da reflexão, da decisão, do ato de controlar, etc. Em síntese, não podemos esquecer-nos das vivências que brotam do nível corpóreo, como as dos impulsos e as dos instintos. A análise da diversidade das vivências nos leva à compreensão da estrutura constitutiva (corpórea, psíquica e espiritual) do ser humano.

Outro aspecto para a compreensão dessa nova maneira de abordar a realidade é entendermos a passagem da atitude natural para a atitude fenomenológica. A atitude natural é a atitude à qual estamos habituados no nosso viver: observamos as coisas como se elas estivessem sempre à nossa frente. Estamos dirigidos para a realidade exterior, isto é, para o mundo. A realidade está na minha frente e eu a aceito como ela se apresenta, sem nenhum questionamento. Para ilustrar, aceito qualquer objeto que vejo como real, como algo inquestionável. A mesa que se oferece para mim aparece como grande, de madeira maciça, dentre outras qualidades, mas não me pergunto como me relaciono com ela, qual o sentido que a mesa tem para mim. Ora, estar focado no sentido não é negar a realidade externa; no entanto, é fazer uma operação diferente de conceituar o que venha ser a mesa.

Nessa nova perspectiva, o que interessa é a relação que o objeto tem para mim. Ele pode aparecer como um objeto que utilizarei para escrever uma carta ou algo semelhante. Porém, pode também aparecer como um objeto que servirá para escorar uma porta, por exemplo. Assim sendo, superar a atitude natural é se desvencilhar dos conceitos que definem um objeto e focar no significado que o objeto tenha para mim. Resumindo, a "[...] expressão 'atitude natural' denomina nossa tendência de tomar todas as coisas no mundo como se já sempre estivessem dadas aí, indiferentes à nossa relação de sentido com elas" (SÁ, 2009, p.1) Porquanto, a perspectiva fenomenológica, que é a busca pelo sentido, é colocar-se para além dessa atitude.

"A suspensão do juízo na atitude fenomenológica promove uma abertura de sentido diante do fenômeno apreendido" (SOUZA et al., 2010, p. 224). Com essa postura, o psicoterapeuta desloca a atenção para o significado de qualquer coisa que possa gerar um sentido para seu cliente, e, então, não fica preso se o que ele percebeu era correto ou não. O que interessa é o que surge da minha relação com o objeto. Isso vai significar que a atividade clínica de inspiração fenomenológica deve abrir mão da transmissão de conhecimentos e de explicações conceituais para se centrar na relação de sentido que surge do contato com o mundo exterior.

Outra consequência imediata da atitude fenomenológica é que o terapeuta, inspirado nessa perspectiva, deve ficar atento aos fenômenos da consciência. Como exemplo, no momento que um paciente vive algo como doloroso, não se deve buscar palavras para definir o que seja doloroso, mas deve se buscar o sentido do doloroso, ou seja, a intenção segundo a qual ele vive o doloroso. Isso quer dizer que a pessoa se comporta como resposta ao significado que ele dá ao que existe. "Colocar-se numa perspectiva fenomenológica é suspender essa suposição "natural" de uma realidade "em si", realizar uma epochè, retornando para as coisas enquanto dadas à experiência" (SÁ, 2009, p. 1) Diante do exposto, a questão que agora surge é: como essa postura pode nos ajudar na psicologia? Vamos intentar, em primeiro lugar, explicitar o que seria uma psicologia fenomenológica, para, em seguida, destacar algumas ideias sobre o que possa ser uma psicoterapia fenomenológica.

2. Psicologia fenomenológica

Em 1925, no seu curso de verão, Husserl volta a tratar de forma mais sistemática da relação entre fenomenologia e psicologia. Desde o início de sua obra, esse autor se posicionou contra o psicologismo[1], e dedica agora uma reflexão

---

[1] Psicologismo é uma doutrina filosófica segundo a qual as leis da lógica ficam subordinadas a causas psicológicas.

mais elaborada sobre como deveria ser a relação entre esses dois campos, isso significa, o que a fenomenologia poderia oferecer à ciência psicológica. Sobre a importância da psicologia, ele fala: "De todas as ciências, a psicologia faz parte das mais antigas. Ela foi fundada por Platão, sistematicamente desenvolvida e explicitada por Aristóteles" (HUSSERL, 2001, p. 11). Entretanto, no século XIX, a psicologia toma um novo ressurgimento e aparece a psicologia moderna fundamentada sobre a fisiologia. Essa psicologia se "[...] desenvolve para tornar tecnicamente utilizável seu conhecimento psicológico, como acontece com o conhecimento físico e químico" (HUSSERL, 2001, p. 13). É justamente contra esse conhecimento construído sobre uma base experimental que Husserl se posiciona, no sentido de que a dimensão psicológica do ser humano não pode estar submetida às leis da física.

Já Dilthey levantou essa questão quando explicitou de forma categórica a distinção entre compreensão e explicação. Buscar uma fundamentação para essa nova psicologia torna-se o grande desafio para Husserl. Assim, ele vê na fenomenologia uma possibilidade de explicitar as bases para essa ciência, que, no final do século XIX, ganha uma nova direção, caminhando para a perspectiva do psicologismo, em que a psicologia se apresenta como uma ciência fundamental, que poderia ser a base da filosofia. Dessa forma, no seu escrito de 1913, *Ideias diretrizes para uma fenomenologia Pura e para uma Filosofia Fenomenológica*, Husserl explicita que a fenomenologia se separa das análises psicológicas e adquire sua autonomia filosófica.

Agora, será necessário, como dissemos acima, estabelecer a relação exata entre a fenomenologia e a psicologia e, aqui, Husserl será categórico, no sentido de que a fenomenologia poderá construir uma ciência, primeiramente, dos fenômenos psíquicos, que serão a base de toda uma psicologia empírica. A essa disciplina, ele deu o nome de psicologia fenomenológica: "A denominação de psicologia fenomenológica vem dos fenômenos cujos aspectos psicológicos ela estuda" (Husserl, 2001, p. 224).

A partir desse posicionamento, Husserl afirma que a compreensão do psíquico extrapola as leis científico-naturais. Claramente, diz: "Nenhuma experiência permite-nos descobrir o psíquico, salvo uma 'reflexão' ou 'conversão' da atitude ordinária" (Husserl, 2001, p. 224). Para levar a termo essa tarefa, é necessário, em primeiro lugar, elucidar a especificidade da experiência e, em particular, da experiência pura do psiquismo (Husserl, 2001, p. 224). Nesses termos, conclui de forma categórica, dizendo: "A tarefa de compreensão que é destinada à psicologia fenomenológica é o exame sistemático dos tipos e formas da experiência intencional, o que nos permitirá ver a natureza do psíquico e nos fará compreender o ser de nossa alma" (Husserl, 2001, p. 226).

O conjunto de textos escritos entre 1925 e 1928 e publicados sob o nome de *Psicologia fenomenológica* trata de duas grandes questões. A primeira, que nos interessa, aqui, mais de perto, é a relação entre a fenomenologia transcendental e a psicologia. Contudo, outra importante questão aparece nesses escritos, que é o mundo da experiência do sujeito. Essa questão será mais desenvolvida na famosa obra *A crise das ciências europeias e a fenomenologia transcendental*, na qual esse mundo da experiência do sujeito será designado como "mundo vital" (*Lebenswelt*).

Aqui, nos interessa a primeira questão, que é a concepção husserliana de sua psicologia fenomenológica. No quarto parágrafo do seu curso de verão de 1925, ele apresenta as cinco características dessa nova disciplina. A seguir, esboçaremos de forma sintética esses aspectos:

a. É uma ciência, *a priori*, que funda as análises descritivas de psicologia. O título de aprioridade significa que essa psicologia visa em primeiro lugar às generalidades e às necessidades da essência. Somente, em segundo lugar, que ela se preocupará com a explicação da facticidade psicológica.

b. Esse *a priori* repousa sobre a intuição. O ponto de partida é a visão interna e a análise do que é intuído.

c. Ela clarifica a intencionalidade e a intersubjetividade de consciência. Uma tal maneira de proceder faz aparecer o caráter mais geral do ser e da vida psíquica: a intencionalidade. Husserl completa de forma incisiva: A vida psíquica é a vida da consciência; a consciência é a consciência de alguma coisa. Esta é uma das afirmações mais importantes da fenomenologia: o caráter primordial da consciência: sua intencionalidade.

d. A psicologia fenomenológica funda à sua maneira a filosofia fenomenológica. Talvez, nossa psicologia possa oferecer um ponto de partida natural aprioristicamente possível para aceder a uma fenomenologia e a uma filosofia transcendentais, em geral.

e. Ela funda um conhecimento psicológico que transcende o conhecimento indutivo da psicologia empírica. (HUSSERL, 2001)

Essa nova psicologia produz um conhecimento da mais alta dignidade gnosiológica. Assim, busca-se ultrapassar o estado do empírico vago e indutivo.

Esses cinco pontos destacados por Husserl demonstram a importância que ele dá à constituição dessa nova psicologia, afirmados nas suas palavras: "A ideia de uma psicologia puramente fenomenológica não tem somente por função de reformar a psicologia empírica. Por razões profundas, ela pode servir de etapa preliminar para trazer à luz a essência de uma fenomenologia transcendental" (HUSSERL, 2001, p. 231). Talvez, possamos dizer que a psicologia fenomenológica seja uma ciência intermediária entre a psicologia empírica pura e a fenomenologia transcendental. A novidade dessa nova ciência é que ela concebe a experiência imediata não do ponto de vista da psicofisiologia, onde a realidade exterior comanda a aparição e o desenvolvimento das realidades interiores, mas os fenômenos psíquicos são considerados experiências subjetivas, que se desenvolvem a partir da própria subjetividade.

Dessa forma, a psicologia fenomenológica vai se estruturar a partir dos atos intencionais da consciência, isso significa que ela tratará das essências (sentidos) antes de tratar dos fatos.

A questão agora que aparece é a seguinte: como Husserl não desenvolveu essa nova psicologia, coube aos seus discípulos essa grande tarefa. O desenvolvimento da psicologia fenomenológica é muito vasto, principalmente no seu início, atingindo vários campos do saber. Nesse contexto, destacaremos, em seguida, alguns seguidores que mostraram a fertilidade da fenomenologia.

No campo da psicologia comparada e da fisiologia antropológica, merece destaque a obra de F. J. J. Buytendijk (1887-1974), que desenvolveu obras de inspiração, baseadas na biologia e, também, no existencialismo. Merece destaque sua análise fenomenológica sobre a mulher, no livro *La femme*. Em seus estudos sobre os animais, procura evidenciar o comportamento animal não como uma simples reação ao ambiente, mas mostrando que essa reação passa pela existência de fenômenos subjetivos. Esse autor denuncia a insuficiência de uma compreensão baseada somente em instinto. Vale o destaque para sua obra *L'homme et l'animal*. Para Buytendijk (1965), o animal não pode ser compreendido como tendo uma reação simplesmente instrumental, porém como um ser vivo ativo, cujas sínteses comportamentais são decorrentes de sua integração sensório-motora. No âmbito dos estudos comportamentais, essa foi uma grande revolução, e a influência de sua obra se faz sentir nos trabalhos de Merleau-Ponty, especialmente na obra *Estrutura do comportamento*. Vários pesquisadores se basearam na fenomenologia para desenvolver suas reflexões.[2] No entanto, a obra de Buytendijk foi extremamente frutífera na denúncia sobre a insuficiência de uma visão mecanicista da vida. Ele contribuiu de maneira fundamental para a instauração da psicologia fenomenológica, destacando a necessidade de estabelecer uma ligação entre essa abordagem e as pesquisas experimentais, principalmente as que se baseiam na perspectiva biológica (THINÈS, 1982).

Entretanto, as contribuições mais significativas para o desenvolvimento da psicologia fenomenológica vieram da parte dos filósofos. Sem querer esgotar o assunto, vamos destacar alguns que contribuíram com suas análises fenomenológicas para a compreensão dos elementos essenciais do dinamismo psicológico, isto é, para a elucidação da estrutura da vida psíquica, elucidação essa necessária para se fundamentar uma psicologia científica.

A primeira filósofa que merece destaque na sua contribuição de fundamentar uma psicologia científica, e assim

---

[2] Para se ter uma visão de conjunto de todo o impacto da fenomenologia no seu desenvolvimento e impacto nos campos da psicologia e psiquiatria, consultar o excelente livro de Spiegelberg, *Phenomenology in Psychology and Psychiatry*.

desenvolver o projeto de Husserl, foi sua assistente Edith Stein. Na sua obra *Contribuições para uma fundamentação filosófica da psicologia e das ciências do espírito*, ela desenvolve uma longa análise fenomenológica sobre dois problemas fundamentais da psicologia: a causalidade psíquica e a questão da motivação. É importante compreendermos o conceito de causalidade diferente da visão mecanicista que o senso comum está habituado a captar. Por outro lado, a motivação, que é a questão central da personalidade, ganha, com a abordagem fenomenológica de Edith Stein, uma nova roupagem, uma nova perspectiva.

Aprofundando o tema da motivação, devemos destacar o filósofo francês Paul Ricoeur com sua filosofia da vontade, pois através da perspectiva fenomenológica lança luz ao entrelaçamento dos aspectos voluntários e involuntários implicados na decisão humana. Sua fina análise fenomenológica coloca em relevo todos os aspectos voluntários e involuntários implicados no ato da liberdade. Essa análise nos ajuda a entender a complexidade e a dificuldade das mudanças, porque, às vezes, os nossos pacientes têm dificuldade de levarem a cabo suas decisões tomadas no âmbito de uma psicoterapia.

Outro filósofo que merece destaque pela sua contribuição acerca de como a fenomenologia ajudou a se ter clareza sobre os aspectos psicológicos do ser humano é Merleau-Ponty. Ele pesquisou vários textos inéditos de Husserl nos arquivos husserlianos, em Louvain, lugar para o qual o franciscano Van Breda levou os escritos inéditos de desse autor a fim de que esses não fossem destruídos pelos nazistas. Os livros mais importantes que destacam essa relação entre fenomenologia e psicologia são, primeiramente, *Fenomenologia percepção*, no qual aparece a dimensão corpórea como o lugar de experiência subjetiva. Isso significa dizer que a percepção, uma atividade psíquica, só é possível a partir do corpo. Daí, também, a importante noção de corpo vivido (*corps vecú*, em francês, e *Leib*, em alemão), que tem um ponto central na compreensão da vida humana. O segundo livro que merece destaque é a *Estrutura do comportamento*, no qual sua análise fenomenológica do comportamento traz novas luzes e vê "[...] o comportamento como um *Gestalt*, ou forma que inclui aspectos, tanto externos como internos dos fenômenos, e os compreende como dois aspectos de uma unidade fundamental" (THINÈS, 1982, p. 50).

Na sequência, Jean Paul Sartre traz uma grande contribuição nos seus estudos sobre a imaginação. Ele procura aplicar os ensinamentos de Husserl sobre o método fenomenológico em temas propriamente psicológicos, como o da imaginação e o das emoções. Queremos destacar somente a fenomenologia do imaginário, através das obras a *Imaginação*, de 1936, e, também, o *Imaginário: psicologia fenomenológica da imaginação*, de 1940. Aparece nesses textos a inspiração husserliana sobre a intencionalidade da consciência. Aqui, a imaginação não é definida pela imagem do objeto, teoria realista tradicional, mas a partir da interação entre o espírito e o papel que desempenha a imagem nas operações do pensamento. Com efeito, a grande contribuição de Sartre é a descoberta da essência desse fenômeno psíquico.

3. Psicoterapia fenomenológica

Se a psicologia fenomenológica começou a dar os primeiros passos por meio dos discípulos de Husserl, desenvolvendo algumas questões próprias da epistemologia da psicologia, a prática terapêutica, de inspiração fenomenológica, tem se desenvolvido de forma menos sistemática. O que assistimos são pequenas reflexões que destacam um ou outro aspecto de uma prática terapêutica baseada na fenomenologia. Não temos conhecimento de uma obra sistemática em que se abordam as principais questões desse tipo de prática psicológica. Diante disso, o que encontramos são artigos esparsos que destacam uma ou outra questão específica da aplicação da fenomenologia na psicoterapia.

Queremos, agora, destacar alguns pontos de um trabalho psicoterapêutico que poderiam nos ajudar a lançar uma luz sobre a especificidade da psicoterapia fenomenológica.

O primeiro ponto que merece destaque é a base antropológica dessa prática clínica, a saber, uma compreensão mais abrangente do ser humano, uma busca de se entender de maneira mais global e unitária as dimensões próprias da vida humana. O que está no centro da compreensão não é o aspecto psicológico, pelo contrário, é a interligação entre o psicológico, o corporal e o espiritual. Todavia, não se deve buscar a compreensão só do funcionamento do psíquico, este só pode ser entendido na sua especificidade, se interligado ao corpóreo e ao espiritual.

Assim, dizemos que a novidade da abordagem fenomenológica na psicoterapia, no momento que coloca a pessoa como centro da atividade terapêutica e não o funcionamento do psiquismo, é uma clínica da pessoa. Logo, procuramos entender a maneira de ser da pessoa, e não o seu processo psíquico, isso quer dizer que se trabalha sob o plano antropológico. As explicações psicológicas sobre as deformações neuróticas ou psicóticas devem ocupar um segundo plano. O aspecto mais importante "é o acolhimento do outro na sua própria esfera vital. É a resposta existencial de uma pessoa a outra pessoa" (TELLENBACH, 1991, p. 74).

A força do encontro pessoal é que será a consequência de uma prática terapêutica que se centra na pessoa como uma unidade. Dessa posição, surgirá um tema muito caro à prática terapêutica, que é o encontro interpessoal[3], tema que não podemos desenvolver aqui.

Nesse contexto, a colocação da pessoa como o centro da terapia levou Gebsattel a dirigir a atenção para um espaço interior do ser humano como o lugar fundamental de ser trabalhado na psicoterapia. O termo que expressa toda essa articulação das dimensões próprias do ser humano é a realização de si. Dessa forma, voltamos a destacar, não é o desenvolvimento psíquico o foco central da abordagem fenomenológica, mas são: a questão do sentido da existência humana, as decisões pessoais, a vivência da liberdade, e, mais, a vida deve ser também compreendida a partir de orientações segundo as normas e os ideais da existência humana (TELLENBACH, 1991). De sorte que estar atento a essas questões é cultivar uma prática clínica baseada na categoria da pessoa.

Desenvolver todos esses aspectos do modo de ser do homem é desenvolver uma antropologia que serviria de base à clínica. Essa tarefa mais de cunho filosófico foi apontada por Husserl e desenvolvida em parte pela sua discípula Edith Stein, como assinalado anteriormente na nossa reflexão.

O segundo ponto que gostaríamos de destacar como uma mudança de foco, a saber, de atenção em uma abordagem fenomenológica, é a seguinte: não se busca tratar a doença em si; em contrapartida, se procura tratar do homem doente. O foco não é mais o sintoma, mas a pessoa que vive como determinado sintoma. Em fenomenologia se diz: se passa do sintoma para o fenômeno: "O essencial de uma doença reside para o homem no 'modo existencial de seu

---

3 Para algumas reflexões sobre esse tema tão importante da prática clínica, veja meu livro *Psicoterapia fenomenológico-existencial: fundamentos filosófico-antropológicos*, especialmente as páginas 101 a 109.

ser-doente'" (Tellenbach, 1991, p.79). Em virtude do exposto, a doença é um conceito vazio, uma categoria abstrata que é aplicada a uma pessoa que chega ao consultório. É necessário levar em conta na compreensão dessa pessoa que busca sua intervenção profissional o seu contexto cultural e social com todas suas aspirações como ser humano para a compreensão do seu mal estar. Não é aplicando um rótulo (a categoria de doença) aos sintomas apresentados pelo doente, é compreendendo toda sua dinâmica existencial. Como muito bem diz Novaes de Sá: "o abandono de qualquer redução do humano a dimensões meramente orgânicas, psicológicas ou sociais, naturalmente compreendidas, isto é: o abandono de qualquer cientificismo objetivante do sofrimento existencial" (Sá e Barreto, 2011, p. 390).

Essa nova maneira de ver o ser doente, bem como de entrar em relação com ele, exigirá um novo tipo de comunicação que se estruturaria a partir de uma perspectiva dialógica. O diálogo seria outro tema a ser desenvolvido, porém, só o destacamos uma vez que ele só exigiria um estudo à parte.

A terceira questão que merece destaque na caracterização de uma psicoterapia fenomenológica é o problema da intenção terapêutica. As duas questões anteriores abrem espaço para o seguinte questionamento: como se manifesta e se articula a intenção terapêutica? O que se pretende, como vimos acima, não é explicitar os aspectos orgânicos ou psicológicos do sofrimento, todavia, o que interessa, aqui, é o sentido do sofrimento. O grande objetivo de um trabalho fenomenológico é explicitar e compreender o sentido do fenômeno, que, em termos husserlianos, é a essência das coisas. Nesse sentido, questionar o que está por detrás das coisas, ou como tudo é movido pela consciência, que é intencional, é ao que se visa nesta perspectiva.

Desse modo, podemos dizer que a perspectiva fenomenológica, bem como a perspectiva psicanalítica, ambas visam à explicitação do sentido. Como os dois pesquisadores, Husserl e Freud, foram discípulos de Brentano, certamente levaram para suas reflexões a importância de se dar atenção ao sentido. Não cabe, neste momento, analisar como Freud estruturou essa busca, mas, colocando um ao lado do outro, dizemos que Freud busca explicitar o sentido latente e o faz ao estudar a dinâmica do inconsciente, enquanto Husserl busca compreender o sentido intencional. Aqui está a grande diferença entre as duas abordagens, pois a abordagem fenomenológica busca colocar em destaque a descoberta do *logos* (da essência), do fenômeno, enquanto a psicanálise enxerga a dinâmica pulsional como a responsável pelo sentido latente. Assim sendo, as duas abordagens têm em comum um questionamento sob o que está para além das aparências. Talvez tenhamos, nesse ponto, um campo para um debate mais aprofundado e frutífero no futuro.

Para concluirmos essa questão da intenção terapêutica na perspectiva fenomenológica, podemos dizer, com Tellenbach (1991), que essa intenção se caracteriza radicalmente como uma tentativa de ir a uma camada mais profunda da vida pessoal, onde a compreensão do sentido iluminará o "[...] futuro, o crescimento e o desabrochar da vida pessoal" (p. 72). Logo, captar o plano profundo da pessoa é captar a sua dinâmica existencial.

A quarta questão que surge é relacionada à qual postura adotar na ação psicoterapêutica mais adequada para ajudar na revelação do sentido. No início de nossa reflexão, falamos da diferença entre atitude natural e atitude fenomenológica. Agora, queremos explicitar quais os desdobramentos, na prática clínica, da postura fenomenológica.

Em primeiro lugar, essa atitude se consegue pela redução, ou seja, pela *epoché* fenomenológica, que é a colocação entre parênteses dos juízos que possamos ter sobre nosso cliente. Não interessa as informações cotidianas que se têm sobre a pessoa, mas a atenção para a abertura do sentido, do fenômeno. No caso, aqui, o sentido que está subjacente é todo o viver da pessoa.

Esse primeiro movimento se fará pela redução psicológica, que se caracteriza pela "[...] atenção ao conteúdo psíquico imanente à vivência do 'eu empírico'" (SOUZA et al., 2010, p. 225) Dessa maneira, temos que centrar nossa atenção nas vivências, fazermos um esforço de captar o sentido da vivência sobre aquilo que se revela na experiência. Essa atitude, depois de observar o que está em jogo, que é o sentido, precisa se concretizar na prática terapêutica com desdobramentos adequados para essa importante tarefa.

Porquanto, gostaríamos simplesmente de destacar três formas de concretização dessa postura, deixando para outra oportunidade o seu desenvolvimento. A saber: a) a atenção que devo dirigir ao paciente, buscando acolhê-lo na sua originalidade, sem nenhum julgamento sobre seu modo de ser, é uma atenção acolhedora; b) a escuta fenomenológica, onde procuro de uma forma ativa estar atento aos significados que vão movendo a existência do paciente; c) as intervenções que suspendam qualquer compreensão, *a priori,* categorial do paciente, e, por outro lado, ajudem esse ser humano a desvelar para si mesmo o sentido de seu mal estar, além disso, possa se abrir a novas formas de estar no mundo.

A atividade clínica, na sua plenitude fenomenológica, poderia se caracterizar como a suspensão dos "[...] preconceitos intelectuais e afetivos da atitude cotidiana de ocupação utilitária de si e do mundo, para deixar vir ao encontro aquilo que se mostra, tal como se mostra a partir de si, em suas múltiplas possibilidades de sentido" (SOUZA et al., 2010, p. 227).

Em suma, o psicólogo fenomenológico, como todo outro terapeuta, parte da observação do comportamento, dos sonhos, etc. No entanto, essas observações não recebem uma interpretação a partir de conceitos construídos previamente. O que se deve captar é a essência, portanto, é o sentido desse modo de ser no mundo. Enfim, desvelar esse sentido é o passo inicial de um trabalho psicoterapêutico, que tem a fenomenologia como instrumento inspirador.

Referências

ALES BELLO, A. *Introdução à Fenomenologia*. Bauru, SP: EDUSC, 2006.

ALES BELLO, A. *Fenomenologia e ciências humanas*. Bauru: EDUSC, 2004.

BINSWANGER, L. Sobre Fenomenologia. In: _____. *Sonho e existência*: escritos sobre Fenomenologia e Psicanálise. Rio de Janeiro: Via Verita Editora, 2013.

BUYTENDIJK, F. J. J. *L'homme et l'animal*. Paris: Gallimard, Broché Edition, 1965.

BUYTENDIJK, F. J. J. *La femme*. Ses modes d'être, de paraitre, d'exister. Paris: Desclée de Brouwer, 1967.

GIOVANETTI, J. P. *Psicoterapia fenomenológico-existencial*: fundamentos filosófico-antropológicos. Rio de Janeiro: Via Verita Editora, 2017.

HUSSERL, E. *A crise das ciências europeias e a fenomenologia transcendental*. Rio de Janeiro: Forense, 2012.

HUSSERL, E. *Psychologie Phénoménologique*. Paris: Vrin, 2001.

HUSSERL, E. *Ideias diretrizes para uma fenomenologia pura e para uma filosofia* fenomenológica. São Paulo: Ideias & Letras, 2006.

MERLEAU-PONTY, M. *La structure du comportement*. Paris: PUF, 2012.

MERLEAU-PONTY, M. *Phénoménologie de la perception*. Paris: Gallimard, 1945.

RICOEUR, P. Philosophie de la volonté. In: _____. *Le volontaire et l'involontaire*. Paris: Aubier, 1988.

SÁ, R. B. N. de; BARRETO, C. A noção fenomenológica de existência e as práticas psicológicas clínicas. *Estudo de Psicologia*, v. 28, n. 3, p. 389-394, 2011.

SÁ, R. B. N. de. *Contribuições da fenomenologia existencial para as práticas psicológicas clínicas*. In: III CICC- Congresso Internacional do Conhecimento Científico, Campos dos Goitacazes, RJ, 2009.

SARTRE, J. P. *L'imaginaire: psychologie phénoménologique de l'imagination*. Paris: Gallimard, 1940.

SARTRE, J. P. *L'imagination*. Paris: PUF, 1936.

SPIEGELBERG, H. *Phenomenology in Psychology and Psychiatry*: a historical introduction. Evanston: Northwestern University Press, 1972.

SOUZA, L. R. de A.; LEAL, I. F. de A.; SÁ, R. B. N. de. Atitude fenomenológica e psicoterapia. *Revista IGT na Rede*, v. 7, n. 13, 2010, p. 223-245.

STEIN, E. *Psicologia e scienze dello spirito*: contributi per uma fondazione filosófica. Roma: Città Nuova Editrice, 1999.

TELLENBACH, H. *Von Gebsattel et le problème de la personne dans la psychothérapie*. In: FÉDIDA, P.; SCHOTTE, J. *Psychiatrie et existence*. Grenoble: Editions Jérôme Millon, 1991.

THINÈS, G. *Psychologie phénoménologique*. Louvain-la-Neuve: Ciaco Éditeur, 1982.

Apontamentos sobre a utilização do método fenomenológico na psicoterapia

Claudia Lins Cardoso

O presente texto surgiu a partir das seguintes reflexões: de que modo o psicoterapeuta pode atuar para compreender melhor a pessoa do cliente e assim ajudá-la no seu processo de ser no mundo? Do ponto de vista da Fenomenologia, quais são as suas contribuições para a prática clínica? Qual a postura a ser adotada pelo psicoterapeuta que pretenda apoiar seu trabalho nessa perspectiva? Assim, como resultado de tais questionamentos, são apresentadas considerações sobre a aplicação de alguns conceitos propostos pela Fenomenologia no trabalho psicoterapêutico, com o reconhecimento da impossibilidade de se esgotar o assunto devido à complexidade que ele envolve.

1. Husserl e sua nova proposta: a Fenomenologia

A Fenomenologia é um método de descrição filosófica proposto por Edmund Husserl no início do século XX. No fim do século XIX, o movimento filosófico conhecido como Positivismo, proposto por Auguste Comte, exercia forte influência na ciência e na filosofia, e seus princípios enfatizavam o conceito de "razão" e o método científico como os únicos caminhos para a investigação do mundo e do ser humano. Assim, apenas aqueles conhecimentos decorrentes dos métodos das ciências naturais, quantitativos e promotores de formulação de leis gerais (e, consequentemente, que acarretassem a previsão e o controle dos fenômenos e a transformação da realidade pelo homem) eram considerados legítimos. Nesse sentido, as ciências naturais – concebidas como aquelas que se remetem à natureza material (por exemplo, a matemática e a física), às ciências do ser humano e dos animais (anatomia, fisiologia) e às ciências do espírito (história, sociologia) – partem da experiência e têm o mundo como objeto de interesse (ALES BELLO, 2004).

Husserl (2006) faz alusão aos homens da vida natural como se posicionando no mundo "em orientação natural". Afirma ele:

> Pelo ver, tocar, ouvir, etc., nos diferentes modos de percepção sensível, as coisas corpóreas se encontram *simplesmente aí para mim*, numa distribuição espacial qualquer, elas estão, no sentido literal ou figurado, "à disposição", quer eu esteja quer não, particularmente atento a elas e delas me ocupe, observando, pensando, sentindo, querendo" (p. 73, grifos do autor).

O autor introduz, então, o conceito de "atitude natural", como sendo aquela na qual todas as coisas do mundo (não apenas as de ordem material, mas também os valores, ideias, conceitos, crenças, etc.) nos são dadas como existentes por si mesmas, independente da nossa presença. Tal atitude, mantenedora da dualidade sujeito-objeto, interno-externo, seria uma orientação para o mundo que despreza o modo como a consciência o apreende, já que as coisas do mundo estão aí da mesma forma para todos. Ela é característica das ciências naturais, que buscam chegar a uma definição absoluta das coisas do mundo: "isto é assim...".

Entretanto, ao considerar o homem e sua subjetividade como a principal característica que o diferencia de todos os outros animais, Husserl tece duras críticas à utilização do método científico vigente naquela época e à Psicologia, por considerarem as questões humanas como se fossem um objeto de natureza física. E é nesse contexto que ele propõe uma mudança radical de atitude – chamada atitude fenomenológica –, ao sugerir o "ensaio da dúvida universal" para trazer à consciência aspectos inacessíveis na adoção da atitude natural. Não se trata de negar as coisas do mundo ou de sua existência, mas de "colocar entre parênteses" aquilo que nos foi dado anteriormente para que possamos ter acesso aos fenômenos que se apresentam à consciência. A essa mudança de atitude – da natural para a fenomenológica –, Husserl chamou de redução fenomenológica, ou *epoché*.

A Fenomenologia, entendida como o estudo de tudo aquilo que se apresenta à consciência, surgiu nesse contexto como uma proposta de reflexão sobre os fenômenos da consciência. Ela concebe consciência e objeto como definidos a partir da relação estabelecida entre eles, pois Husserl ressalta o caráter intencional da consciência (ato de atribuir um sentido), ou seja, toda consciência é sempre uma "consciência de" algo, e o objeto é sempre "um objeto para uma consciência". Assim, não existe consciência sem objeto, nem objeto sem consciência, sendo esta a única fonte de conhecimento.

Para Husserl (2006), é essa intencionalidade da consciência que atribui sentido ao fenômeno que se apresenta. Por isso, podemos dizer que não temos acesso direto aos fatos "puros" nem às coisas do mundo, mas apenas aos fenômenos que se apresentam à nossa consciência (ou seja, aos objetos sempre dotados de sentido). Para ele, é somente através da atitude fenomenológica, quando olhamos para as coisas do mundo colocando entre parênteses todo conhecimento anterior (redução fenomenológica), que podemos acessar nossas vivências e os sentidos das coisas do mundo (sempre impregnados da nossa subjetividade), o que é impossível por meio da atitude natural.

Por vivências, entendem-se os atos psíquicos universais pertencentes à própria estrutura do ser humano: lembrar, perceber, fantasiar, pensar, etc. Elas são pré-reflexivas e são ativadas a cada instante da nossa existência. Por isso, são fundamentais na constituição da subjetividade humana, pois é um elemento constitutivo do homem na sua estruturação do mundo (ALES BELLO, 2004).

Os conceitos da Fenomenologia não se restringem aos supracitados, mas é sobre eles e sua contextualização na clínica psicoterápica que teço minhas reflexões no presente texto.

2. O início do processo psicoterapêutico

A pessoa chega ao consultório do psicólogo sempre com alguma situação que desperta nela desconforto, sentimentos desagradáveis, confusão, sofrimento. Em outras palavras, ela está em crise em pelo menos um aspecto de sua vida. Pode ser que ela tenha pleno conhecimento da situação e do que ela lhe causa, ou talvez ela não tenha a menor noção de si ou de seus sentimentos e impasses, ou ainda é possível o seu reconhecimento de apenas uma única coisa: um sintoma (seja insônia, ansiedade, uma dor física, uma tristeza arrebatadora, ou qualquer outra experiência intensa o suficiente para levá-la a solicitar a ajuda de um psicoterapeuta). Há também a possibilidade de ela não perceber nada disso, mas apenas um outro alguém que esteja dificultando sua vida de algum modo: o marido traidor, a esposa ciumenta, o pai autoritário, a mãe que não a permite ser independente, o chefe que persegue... Enfim, talvez ela só consiga reconhecer naquele momento o outrocomo o grande responsável por suas mazelas e sofrimentos.

É interessante observar também o estilo da expressão: há pessoas que descrevem suas situações e expectativas com muita clareza e facilidade, porém, há outras cujas dificuldades ocorrem não apenas nas experiências mundanas, mas também no próprio ato de falar de si e de sua história. Para essas, não é fácil se perceber e, consequentemente, descrever a vida do seu próprio ponto de vista. Por outro lado, pode ser mais fácil falar da perspectiva alheia: o que o outro faz, pensa, prefere, reage, e por aí vai.

Mas, e o psicoterapeuta, por onde começa? Qual é a sua "deixa" para iniciar sua função terapêutica no contato com o cliente?

3. A postura fenomenológica na prática clínica

Inicialmente, é importante ressaltar que a utilização do método fenomenológico no âmbito da Psicologia requer algum grau de adaptação, especialmente na situação clínica, por suas peculiaridades. Giorgi (2009) justifica isso ao salientar que, nela, os dados que serão objetos da análise fenomenológica são obtidos por outra pessoa, que não a pessoa do pesquisador ou filósofo. Desse modo, é o cliente quem vai descrever espontaneamente aquilo que ele experiencia a partir da sua perspectiva, e não daquela do psicoterapeuta ou do tema que seja do interesse particular deste.

Conforme mencionado anteriormente, o objetivo da Fenomenologia é investigar os fenômenos, entendidos como tudo aquilo que aparece à luz da consciência. No âmbito da psicoterapia de base fenomenológica, Finlay (2011) ressalta que o profissional busca capturar a experiência vivida com foco nos sentidos pessoais, ou seja, conectar-se direta e imediatamente com o mundo conforme a pessoa do cliente o experiencia. Assim, a autora sugere que o "fazer fenomenológico" requer: foco na experiência vivida e nos seus significados; uso da descrição rigorosa e rica; preocupação com as questões existenciais (temporalidade, espacialidade, corporalidade e relações interpessoais); reconhecimento da interconexão entre corpo e mundo; adoção da atitude fenomenológica; e uma abordagem relacional potencialmente transformadora.

A prática clínica mostra que, para que isso aconteça, primeiramente faz-se necessário o estabelecimento de uma relação terapêutica acolhedora e confirmadora o suficiente para propiciar a expressão dos fenômenos da pessoa do cliente da melhor maneira possível, no tempo e no ritmo dela. O psicoterapeuta deve ter em mente que a pessoa está a compartilhar o que ela tem de mais precioso: sua intimidade, com todas as dores e delícias de ser quem é naquele momento. Quanto mais ela exercitar esse desvelamento de si, mais condições terá de se reconhecer como um ser-no-mundo pleno e consciente de suas possibilidades, fragilidades, desejos, responsabilidades, aspirações, dentre outros. Isso se dá pelo fato de que a ampliação da consciência permite a apreensão de novos sentidos e de novos posicionamentos no mundo.

Por conseguinte, o psicoterapeuta assume a atitude fenomenológica no processo terapêutico e abre-se para o mundo desvelado pelo cliente através de sua fala. Por outro lado, com sua postura e pela qualidade das suas intervenções, ele acaba por incentivar a pessoa do cliente a assumir também essa mesma atitude de questionamento reflexivo diante da sua experiência. Assim, como ressalta Giorgi (2009), o profissional estabelece uma relação com a pessoa do seu cliente que o leva a alternar entre a compreensão que ela tem do fenômeno que emerge na sua consciência (auxiliando-a, inclusive, nessa ampliação do contato com suas experiências) e a compreensão que ele próprio obtém do que se desenrola na interação terapêutica.

Nesse sentido, a adoção da atitude fenomenológica, proposta por Husserl em oposição à atitude natural na investigação da subjetividade humana, é essencial como postura do psicoterapeuta desde o acolhimento do cliente. Não se trata de uma técnica a ser utilizada eventualmente na situação clínica, mas uma forma de ser e de se relacionar do psicoterapeuta para com a pessoa do seu cliente. Ela envolve abertura para o outro, presença, acolhimento empático, foco no presente e favorecimento da descoberta das experiências da pessoa. Diante das situações descritas por ela, por mais que esteja familiarizado com o "quadro clínico" apresentado, por exemplo, o profissional deve manter-se aberto ao novo, às singularidades dela e à sua forma única de experienciar o mundo. Não se trata de um "deprimido", mas de uma pessoa que, dentre inúmeras particularidades, está sofrendo por encontrar-se em um quadro depressivo. É essa atitude que permitirá o estabelecimento de uma relação interpessoal estimulante ao desvelamento de si no processo terapêutico.

É comum que uma das dificuldades na adoção da atitude fenomenológica, especialmente no início da atividade profissional, seja a busca por ser "competente e efetivo", o que leva o psicoterapeuta (comovido pela dor do outro) a fazer intervenções no sentido de mudar, de salvar o cliente, de corrigir comportamentos que ele considera contraproducentes ou, no mínimo, de reduzir seu sofrimento. Pelo contrário, a atitude fenomenológica do psicoterapeuta significa que seu foco deve ser nos processos humanos, nas vivências e experiências da pessoa do cliente no "aqui e agora" da situação terapêutica, e não em um resultado específico, mesmo que isso signifique entrar em contato com a dor. Como afirma Cardella (2017), "embora o sofrimento, a contradição e o paradoxo faça parte da trajetória humana, quando estamos abertos podemos vive-lo como experiência e transformação" (p. 117). E, muitas vezes, isso só pode acontecer em uma relação terapêutica caracterizada pela acolhida e pelo cuidado, sem pressa e no tempo do cliente.

Isso requer a prática da redução fenomenológica, a qual implica deixar no pano de fundo do encontro ("por entre parênteses") os valores e conhecimentos que podem interferir na escuta do relato do cliente como pré-julgamentos de ordem linguística, cultural, histórica, científica ou ideológica, os quais prejudicariam a percepção e, consequentemente, a compreensão do fenômeno descrito. Trata-se de um exercício de distanciamento de tudo que é anterior à situação terapêutica, para que seja possível ao psicoterapeuta se conectar com a experiência de mundo descrita por seu cliente. É um esforço por suspender todo o conhecimento prévio e por manter a percepção voltada para "as coisas mesmas" (como ponto de partida do conhecimento), o mais próximo de como o fenômeno do cliente é descrito por ele, com toda a rede de sentidos implícitos. Tal postura proporcionaria ao profissional a abertura necessária ao conhecimento dos fenômenos do cliente e dos seus respectivos sentidos a partir da perspectiva dele, minimizando a interferência de interpretações decorrentes de referências externas ao contexto imediato da sessão terapêutica, que poderiam prejudicar também a escuta terapêutica.

Bradfield (2007) ressalta que a adoção da atitude fenomenológica na prática psicológica e psiquiátrica, focada na descrição da experiência o mais concretamente possível no momento presente da situação clínica, "[...] implica permitir que a história fale por si mesma, sem agregar ou impor naquela história um sistema de verdades supostas as quais poderiam deformá-la" (p. 4). O autor sustenta ainda que isso preservaria a integridade da experiência vivida.

Como desdobramento dessa afirmação, podemos inferir que, se a história contada pela pessoa sofrer a interferência das interpretações do psicoterapeuta, ele terá acesso aos sentidos que aquela história tem para ele, e não aos sentidos atribuídos pela pessoa do cliente. Dessa forma, o trabalho terapêutico se basearia nos fenômenos do psicoterapeuta, e não naqueles do cliente. Não que isso não seja possível (na verdade, esse é o paradigma em diversas abordagens psicológicas), só perderia a característica de um trabalho fenomenológico. Por isso, atuar nessa perspectiva é uma tarefa que requer atenção, reflexão e cuidado por parte do psicoterapeuta, pois é muito fácil ele abdicar do fenômeno do cliente e trabalhar com o seu próprio fenômeno, "como se fosse o do cliente".

Além disso, entrar em contato com as fragilidades do cliente pode ecoar em suas próprias fragilidades, levando-o e despertar reações e a propor intervenções que nada têm a ver com a experiência daquele, mas apenas com a dele mesmo. Quando há esse tipo de identificação, é fundamental que o psicoterapeuta consiga discriminar a sua experiência pessoal daquela da pessoa do cliente para que seja capaz de trabalhar com os conteúdos emocionais pertinentes. Ser tocado emocionalmente pelas histórias do cliente faz parte do ofício, e isso pode até ser útil no processo terapêutico, desde que o psicoterapeuta reconheça e respeite os limites da relação terapêutica. Coerente com essa perspectiva, Cardella (2017) sustenta que:

> Reconhecer e acolher a própria vulnerabilidade possibilita que o terapeuta posicione-se *aberto*, capaz de viver a suspensão e o esvaziamento de si, sem

defender-se do sofrimento do paciente, repetindo os desencontros vividos ou os encontros não aconteci-dos. A capacidade de manter-se aberto é o que faz o terapeuta *ser seu próprio instrumento*. (p. 110-111, grifos da autora)

O desafio do psicoterapeuta é, então, se colocar como "fundo" na relação terapêutica, de modo a possibilitar que o cliente seja "figura", com toda a gama de conexões e de sentimentos implícitos nas experiências presentificadas no aqui-e-agora da interação terapêutica. Sempre que o psico-terapeuta trouxer pré-conceitos ou julgamentos anteriores àquele encontro, ele tira o cliente do primeiro plano e joga-o para a penumbra, realçando seus pré-conceitos externos ao diálogo terapêutico. Penso que uma reflexão pertinente seja quanto ao valor terapêutico desse tipo de intervenção.

Além da postura terapêutica, em todo o processo do trabalho fenomenológico três aspectos são básicos: a obser-vação (em resposta à pergunta "o que é?"), a descrição (em reposta à pergunta "como é?") e a compreensão (que permite o acesso aos sentidos da experiência).

Observar envolve a percepção, definida por Ales Bello (2004) como "aquilo que nós estamos vivendo nesse mo-mento através de uma sensação, é o registro da sensação, da qual temos consciência" (p. 87). Portanto, a observação está diretamente ligada à intencionalidade da consciência, colocando-nos em contato direto com a realidade.

Na situação terapêutica, a observação pode ser estimu-lada, por exemplo, quando o psicoterapeuta convida a pessoa a ampliar sua percepção sobre o que ela diz naquele momento. Ao ativar seus sentidos no ato de contar sua história, a pessoa abdica da fala vazia, irrefletida, e ativa suas vivências, pas-sando a falar como protagonista da história, ao presentificar sua experiência no "aqui-e-agora" da interação terapêutica.

Quanto à descrição, Giorgi (2009) a define como o uso da linguagem para articular a experiência dos objetos intencionais. Por sua vez, ele a diferencia da interpretação, da construção e da explicação. Assim, semelhante à descrição, a interpretação seria a utilização da linguagem para articular a experiência dos objetos intencionais, porém com o auxílio de recursos "não dados", tais como hipóteses, teorias ou pressupostos. Já na construção, não se está satisfeito em permanecer estritamente com o que é dado, por isso, outras referências não dadas, como a imaginação, por exemplo, são utilizadas para descrever ou mesmo presentificar os objetos da consciência. Finalmente, na explicação, tenta-se descrever o que está presente, mas empregando-se fatores que não são dados na experiência, como causas, por exemplo, pois seu objetivo não é apenas descrever o que é dado. O autor ratifica que, apesar de todos eles serem estratégias válidas, apenas a descrição é a base da Fenomenologia husserliana.

Coerente com a importância da descrição na prática clínica, Finlay (2011) ressalta ser ela um modo particular de organizarmos as situações de nossa vida, promovendo, com isso nossa própria identidade. Ao compartilharmos essa narrativa com outra pessoa, experimentamos certo grau de coesão e de suporte, o que tem valor terapêutico por ser promotor de crescimento pessoal.

Desse modo, tanto a observação quanto a descrição, conforme concebidas pela Fenomenologia, estão intrinsecamente ligadas ao conceito de "compreensão". Bradfield (2007) afirma que esta se refere a um modo empático de conectar-se intersubjetivamente com o outro, numa tentativa de conhecer subjetivamente a experiência vivida da pessoa. Assim, por exemplo, quando uma pessoa diz "Eu sou ansiosa", o psicoterapeuta, por estar interessado em conhecer o mundo vivido dela, não vai tomar o termo "ansiosa" como dado ou conforme as definições encontradas nos manuais de psicopatologia. Antes, ele deve perguntar à pessoa o que é ser ansioso(a) e como é o seu jeito ansioso de ser. Isso possibilita a descrição e a expressão de sentimentos, de sensações, de fantasias e de crenças, dentre outros. Ao fazer isso, o profissional estimula a volta da consciência da pessoa para suas vivências, favorecendo a compreensão dos sentidos nelas implícitos. Propicia também a ampliação de sua autopercepção e o reconhecimento da sua vivência de ser ansiosa.

Por outro lado, a observação, a descrição e a compreensão do psicoterapeuta sobre o que ele presencia na situação terapêutica se constituem em referências importantes em relação não apenas à história contada pelo cliente, mas também ao modo de vir-a-ser da pessoa no mundo. Partindo dessa perspectiva, penso que trabalhar fenomenologicamente é focar tanto o conteúdo quanto o processo. A partir do fragmento da história narrado pela pessoa na situação terapêutica (conteúdo), ela revela algo sobre sua forma de ser-no-mundo (processo). Com isso, o psicoterapeuta não está interessado apenas na história que ela conta, mas no modo como ela conta.

Nesse sentido, algumas reflexões podem auxiliá-lo nesse processo, tais como:

a. Como a pessoa organiza sua fala (por exemplo, o que ela narra primeiro, o que deixa para depois, o que ela expressa e o que ela omite)?

b. Como ela se posiciona na história que conta (por exemplo, como protagonista ou como personagem secundária, como quem exerce ou como quem sofre a ação, como participante ativa ou como mera expectadora)?

c. Quais os aspectos enfatizados e os desprezados?

d. Quais os sentimentos e sensações expressos no momento em que ela conta sua história?

e. O que ela revela de si ao descrever sua história com tais tonalidades afetivas?

f. Quais são os temas ou os sentidos revelados no seu depoimento?

g. O que ela experiencia na sessão terapêutica ao se reconectar com a situação descrita ali (da maneira como a história é experienciada no momento em que fala)?

h. Até que ponto ela flui no seu processo de vir-a-ser e em que momento ela se paralisa? Quais os "nós" que compõem seus impasses (crenças, antecipações, receios, por exemplo)?

i. Como ela se relaciona com o tempo, com o espaço e com o outro?

j. Quais os encontros e desencontros entre o que a pessoa pensa, sente, faz e fala?

k. O que o encontro terapêutico desperta na pessoa do psicoterapeuta?

l. Qual a repercussão que a fala do cliente tem na pessoa do psicoterapeuta? Ou como ele é "tocado" por temas específicos no encontro terapêutico?

De forma alguma, essas questões devem ser tomadas como uma anamnese ou como um roteiro a ser seguido pelo psicoterapeuta. Tratam-se apenas de algumas reflexões propostas para auxiliar o profissional a perceber como os fatos descritos pela pessoa se constituem em um fenômeno para ela, com toda a miríade de sentidos presentes nessa relação. Elas, dentre outras, também podem ampliar a percepção do psicoterapeuta não apenas para o conteúdo que a pessoa conta, mas para o processo dela de se desvelar na sessão e as repercussões disso em ambas as partes da relação terapêutica: cliente e psicoterapeuta. É possível, inclusive, que a resposta dada a uma destas perguntas seja suficiente para dar luz ao modo como a situação descrita é experienciada pela pessoa e que ela siga um ritmo próprio ao contar sua história.

Outro aspecto importante da prática clínica alicerçada no método fenomenológico refere-se ao tipo de perguntas que o psicoterapeuta faz ao cliente. A abertura típica da atitude fenomenológica pode ser estimulada por uma postura de questionamento reflexivo diante do mundo. Portanto, a abordagem do psicoterapeuta, mesmo sem a intenção de direcionar o depoimento, dá o tom do que será revelado na interação terapêutica. Perguntas sobre as circunstâncias da história contada levam a respostas factuais, como por exemplo, onde aconteceu (espaço), quando (tempo, datas) e outros aspectos de natureza mais objetiva. Por outro lado, perguntas sobre o porquê (os motivos) pedem respostas do tipo causa-efeito e perguntas reflexivas (abertas, como "o que é" e "como é") convidam à descrição da experiência e facilitam o contato e a presentificação da experiência da pessoa.

Romero (1999) ressalta a importância do questionar não apenas no que se refere aos aspectos que incomodam o cliente, mas principalmente quanto ao sentido de sua vida e aos seus objetivos, convidando-o a refletir sobre os aspectos menos considerados por ele, e a aprofundar sua experiência e a estimular sua comunicação. Desse modo, o autor elenca os seguintes objetivos do indagar do psicoterapeuta: acompanhar o fluxo ideo-afetivo do cliente; suscitar uma dúvida (por exemplo, para questionar uma convicção negativa, um preconceito ou uma conclusão precipitada); levantar uma nova possibilidade; e ampliar a tomada de consciência.

A experiência clínica torna evidente que a escuta atenta e cuidadosa é fundamental para que a pergunta do psicoterapeuta "brote" do depoimento da pessoa, em um primeiro momento, seja com o intuito de esclarecer, de aprofundar um determinado aspecto, de ampliar a percepção do cliente sobre outros aspectos do campo da experiência descrita por ele, de revelar ambiguidades, de promover reflexão ou de confrontar diferentes perspectivas. Todas as intervenções devem ser no sentido de auxiliar a pessoa a se reconhecer no mundo, não apenas na sessão terapêutica, mas como um exercício que ela possa praticar na sua vida cotidiana. Reconhecer-se, tomar posse de si, perceber-se no seu contexto e presentificar a experiência são algumas expressões que considero referências importantes nos objetivos de todas as intervenções terapêuticas.

Mas a psicoterapia alicerçada na Fenomenologia não faz uso apenas de questionamentos. Antes de tudo, trata-se de uma psicoterapia baseada no diálogo, definido por Yontef (1998) como Fenomenologia compartilhada. Como afirma o autor:

> A aplicação do método fenomenológico ao estudo da pessoa *como pessoa* e sua existência resultou na descoberta de que, somente por meio do diálogo (com outras pessoas, como pessoas), os humanos se definem *verdadeiramente*. As pessoas existem apenas em constante relação umas com as outras. (p.169, grifos do autor)

Após o período inicial da redução fenomenológica, fundamental para a expressão dos fenômenos do cliente, mas sem abrir mão da atitude fenomenológica de acolhimento, de convite à reflexão e à abertura ao novo, é possível que o compartilhar do psicoterapeuta sobre como aquele depoimento se constitui num fenômeno para ele o ou que desperta em sua pessoa possa ter um efeito terapêutico sobre a pessoa do cliente (no sentido de ampliação do reconhecimento de si-no-mundo). O que mantém o caráter fenomenológico desse tipo de intervenção é a intenção terapêutica com que o profissional descreve o que é figura para ele. Se isso é feito com o intuito de convidar a pessoa a refletir sobre uma perspectiva diferente, conectando-se com outras possibilidades e refletindo acerca de suas pertinências ou não, mantém-se o caráter fenomenológico do diálogo, pois é preservada a abertura ao novo, ainda que o cliente não compartilhe da perspectiva do psicoterapeuta. A proposta é convidá-lo a voltar o foco da sua consciência para o retorno dado pelo psicoterapeuta e presentificar sua experiência naquilo que fizer sentido para ele.

Nesse tipo de diálogo, ainda que o psicoterapeuta não faça perguntas diretas, mas apenas descreva sua experiência no momento, é essencial que seja dada a oportunidade ao cliente de refletir sobre o que ele ouve, de modo a se situar na interação terapêutica. Se em algum momento, ao descrever sua perspectiva, o psicoterapeuta pretende modificar comportamentos, corrigir sentimentos, ou levar a pessoa a fazer escolhas que ele – psicoterapeuta – acredita serem as melhores, ele rompe com a atitude fenomenológica e passa a assumir a atitude natural, impondo perspectivas alheias à experiência da pessoa (ainda que sutilmente). Nessa situação, no mínimo, ele passa uma mensagem implícita de que é ele quem sabe o que é melhor para a pessoa, e não ela própria, configurando-se, então, numa situação de desvalorização e de desconfirmação.

Coerente com essa consideração do método fenomenológico na psicoterapia, Young (2010) sustenta que a única coisa que o psicoterapeuta pode oferecer ao cliente é a tentativa de ajudá-lo a compreender a si mesmo de modo um pouco mais funcional, usando várias formas para descrever o que ele está experienciando e auxiliando-os a estabelecer conexões entre os aspectos presentes. Afirma o autor: "eles descrevem o que eles experienciam e nós – devido à nossa formação, conhecimento, habilidades e experiência – [...] podemos descrever o que vemos e ouvimos como aspectos do seu processo e dar um retorno sobre isso para eles" (YOUNG, 2010, p. 50).

A experiência clínica mostra que, muitas vezes, essa ampliação da consciência que a pessoa tem de si promovida pelo diálogo terapêutico é suficiente para aumentar suas perspectivas para novas possibilidades, ou para o reconhecimento de aspectos já conhecidos, porém de um jeito novo. Esse processo, por si só, pode permitir a ressignificação da experiência e a mudança da relação da pessoa consigo e com o mundo.

Nesse sentido, Feijoo (2000) sugere como objetivos da fala do psicoterapeuta: convidar o cliente a ampliar sua consciência quanto à sua liberdade, responsabilidade, ação e aceitação de riscos, mediante o processo de fala e de escuta. Por conseguinte, propõe os seguintes tipos de falas do psicoterapeuta: exemplificadora, exploradora do cotidiano, inquisitiva, clarificadora de emoção, refletora do conteúdo verbal, refletora do conteúdo não verbal, reveladora de situações conflitivas, adversativa ou paradoxal, promotora de responsabilidade, focalizadora do aqui e agora, esclarecedora do núcleo comum, provocativa, de aprofundamento dos questionamentos emocionais, de manutenção do estar em débito, definidora e de busca do centro de referência.

Nesse ponto, faz-se necessário salientar que todo o processo psicoterápico fundamentado na Fenomenologia deve ser feito de modo "artesanal", e não "em série". O psicoterapeuta precisa estar com a pessoa do cliente no ponto em que ela está, abordar os temas que ela quiser, respeitar suas fragilidades e limitações, ajudando-a a se reconhecer e a compreender o que se passa com ela enquanto ser-no-mundo. Tanto seu conhecimento teórico quanto experiência devem ser disponibilizados para auxiliar a pessoa no seu processo de vir-a-ser, sempre no tempo e no ritmo dela, sem imposições por parte do psicoterapeuta.

4. Considerações finais

Em síntese, foi ressaltado ao longo do texto que a atuação fenomenológica do psicoterapeuta tem como foco principal a experiência presente da pessoa (a partir dos fragmentos de sua história) para ampliar sua percepção de seu processo de vir-a-ser no mundo. Como recurso importante em seu trabalho, a qualidade de suas intervenções tem papel primordial nos aspectos que serão expressos pelo cliente, especialmente no que tange ao tipo de questionamentos que ele faz e ao diálogo estabelecido, cujo objetivo fundamental é ampliar a consciência da pessoa sobre sua experiência e sobre sua forma de vir-a-ser no mundo.

Mas um aspecto de relevância a ser considerado diz respeito à importância da relação terapêutica em todo o processo. Trabalhar fenomenologicamente na clínica psicológica é zelar pela qualidade da relação estabelecida entre o psicoterapeuta e a pessoa do seu cliente. Por se tratar de um encontro intersubjetivo (mesmo com objetivos profissionais), todo o trabalho terapêutico precisa ser permeado por uma atitude cuidadosa e genuinamente interessada do psicoterapeuta em auxiliar a pessoa no seu processo de autoconhecimento e de fortalecimento do seu autossuporte. Como sustentei em trabalho anterior:

Estar em relação com o outro a quem se quer ajudar é oferecer-se como terra fértil para que o outro floresça. E isso é parte do cuidado terapêutico, que requer presença, entendida como o encontro de pessoas que se abrem para o contato entre si, de modo a propiciar o fluir dos processos humanos. (CARDOSO, 2013, p. 72)

Sem a pretensão de esgotar o tema, mas à guisa de conclusão, na prática da psicoterapia, a Fenomenologia não apenas oferece um método rigoroso de acesso às experiências do mundo vivido da pessoa, mas vai além, ao dar fundamentos para o estabelecimento de um encontro inter-humano propiciador do reconhecimento e da possibilidade de ressignificação daquilo que a pessoa tem de mais autêntico: sua subjetividade, que dá o viés a todo o seu ser-no-mundo. Por tudo isso, trata-se de uma experiência transformadora.

Referências

ALES BELLO, A. *Fenomenologia e ciências humanas.* Bauru: EDUSC, 2004.

BRADFIELD, B. Examining the lived world: the place of Phenomenology in Psychiatry and Clinical Psychology. *The Indo-Pacific Journal of Phenomenology*, v. 7, p. 1-8, 2007.

CARDELLA, B. H. P. *De volta para casa*: ética e poética na clínica gestáltica contemporânea. Amparo: Gráfica Foca, 2017.

CARDOSO, C. L. A face existencial da Gestalt-terapia. In: FRAZÃO, L. M.; FUKUMITSU, K. O. *Gestalt-terapia*: fundamentos epistemológicos e influências filosóficas. São Paulo: Summus, 2013.

FEIJOO, A. M. L. C. *A escuta e a fala em psicoterapia.* São Paulo: Vetor, 2000.

FINLAY, L. *Phenomenology for therapists*: researching the lived world. New Jersey: Wiley-Blackwell, 2011.

GIORGI, A. *The descriptive Phenomenological Method in Psychology*: a modified husserlian approach. Pittsburgh: Duquesne University Press, 2009.

HUSSERL, E. *Ideias para uma Fenomenologia Pura e para uma Filosofia Fenomenológica*. Aparecida, SP: Ideias & Letras, 2006.

ROMERO, E. *Neogênese*: o desenvolvimento pessoal mediante a psicoterapia. São José dos Campos: Novos Horizontes Editora, 1999.

YONTEF, G. M. *Processo, diálogo e awareness*: ensaios em Gestalt-terapia. São Paulo: Summus, 1998.

YOUNG, C. A phenomenological model in the practice of psychotherapy. *International Journal of Psychotherapy*, v. 14, n. 3, p. 36-53, 2010.

Subjetividade como acontecimento, centro pessoal e plantão psicológico: horizontes reabertos

Miguel Mahfoud

1. "Quem sou eu?": a pergunta que não quer calar

A importantíssima pergunta "Quem sou eu?" vem insistentemente apresentando-se nos mais diversos contextos; mesmo assim, no campo da Psicologia, temos tido resistência a enfrentá-la diretamente: culturalmente, desconfiamos da pergunta, evitamos a resposta por temer um fechamento ou objetivação, quando o grande desafio é o de apreender a subjetividade como abertura. Com tais receios, nos afastamos, inclusive, do conceito de "pessoa" (SPINK, 2011; ALES BELLO, 2015). E, muito além de um problema conceitual, nossa cultura contemporânea chega a problematizar até mesmo se seria possível chegar a ser si mesmo, buscando rechaçar alguma sombra de determinismo que se insinuasse na questão de "tornar-se aquilo que se é" (presente na cultura ocidental desde o clássico grego Píndaro). Contraditoriamente, o problema retorna em pauta na atual defesa dos direitos humanos, quando o termo "pessoa" se apresenta como necessário para fundamentar questões jurídicas de toda ordem, como aquelas ligadas à mudança de gênero, por exemplo (RICOEUR, 1996; ZILLES, 2012; MAHFOUD, 2017a).

Outra dificuldade para o enfrentamento da pergunta "Quem sou eu?" pela Psicologia na contemporaneidade vem da cultura do "relativismo": a questão perderia sentido (como fundamento da elaboração da experiência) frente à tarefa de construção de si por meio de escolhas de seus projetos de vida. "Pergunta infantil que o homem imerso na civilização técnica se faz: *o que acontecerá comigo?* Ela não lhe permite perguntar quem ele mesmo já é e, então, quem ele deve se tornar" (GRYGIEL, 2000, p. 56). No entanto, na verdade, a pergunta "Quem sou eu?" não sai de nosso horizonte. Em termos de vivências, permanece como questão de fundo, continuamente. O grande desafio atual, então, não é tanto o de fundamentar – em termos conceituais e filosóficos – a pergunta ou o seu abandono, mas, principalmente, o de tomar como ponto de partida a contínua reedição do interesse do sujeito sobre si mesmo e o reemergir em nós daquela pergunta.

A pergunta "Quem é você?", quando vinda de nosso interesse vivo por alguém, rasga o sentido genérico e socialmente delimitado: os enquadramentos habituais da resposta não nos satisfazem e, quanto mais nos interessamos, conhecemos, e admiramos alguém, mais a pergunta vivamente se reapresenta: "Mas afinal, quem é você, que desperta tudo isso em mim?". A pergunta pede aprofundamento da relação com alguém que de algum modo já conheço. De modo semelhante, a pergunta "Quem sou eu?" existencialmente vivida rompe horizontes formais de respostas e convenções sociais que a desqualificam, e reativa a elaboração da experiência em toda sua autenticidade, como busca.

Interessante notar também que mesmo na pergunta "Quem é você?" o interesse pelo outro acaba por evidenciar um interesse sobre mim mesmo também: "Quem é você, que desperta tudo isso em mim?". O interesse vivo pelo outro diz respeito a um movimento de meu eu. De fato, mesmo em situações adversas acabamos por perguntar "E eu com isso?". Podemos ter conhecimento da situação que a justifique em termos formais e sociais, nos horizontes estabelecidos, mas "E eu com isso?" é pergunta sobre o sentido não genericamente formulado: de fato, mesmo diante de explicações plausíveis, frequentemente a pergunta "E eu com isso?" volta à cena. O grande interesse pelo mundo e a abertura que advertimos em nós diante do outro acaba por remeter, experiencialmente, à pergunta sobre o próprio eu.

O centro de meu próprio eu está embutido nas grandes questões, mesmo ao tematizar o outro. Algo é significativo por sê-lo para mim (algo genericamente significativo, no fundo, não interessa). O tema do eu é central e continuamente rasga os horizontes, abrindo a pessoa para reelaborações de sentido sobre tudo; existencialmente, pede a consideração de si em qualquer fenômeno. O tema do eu reemerge, pedindo a consideração do próprio eu onde habitualmente está objetivado ou pulverizado no relativismo (se posso ser qualquer coisa, então não sou nada[1]). Posso ser diversas coisas, posso romper horizontes: são afirmações do eu; sua importância vai bem além da possibilidade de superação do que fora estabelecido para minha história.

É chegada a hora de enfrentarmos a questão "Quem sou eu?" também na Psicologia.

2. Centro pessoal como crivo crítico

A pergunta "Quem sou eu?" abre horizontes para o sujeito em suas elaborações sobre as vivências, assim como

---

[1] Conferir sobre o tema, por exemplo, as obras de Grygiel (2000) e Mahfoud e Massimi (2012).

para a Psicologia em sua compreensão sobre processos humanos pessoais e coletivos. Nesse sentido, é significativo que o fato mesmo de a pergunta permanecer na experiência dos sujeitos se torne ponto crítico para aprofundamento da abordagem psicológica da pessoa.

Luigi Giussani (Giussani, 2009; Mahfoud, 2012b, 2016) propõe o conceito de "experiência elementar", e Edith Stein (Stein, 2013; Sberga, 2015; Cury e Mahfoud, 2013) o de "núcleo da pessoa", problematizando – de modo autônomo e diverso – um mesmo campo da experiência propriamente humana (Guimarães e Mahfoud, 2013): o "centro pessoal" permite chegar ao juízo de que algo tenha a ver consigo ou não, e torna possível que o eu esteja presente num gesto que realize.

Experiência elementar seria o elemento primeiro, básico, originário e original, de toda experiência: uma abertura com critério intrínseco, uma espera (Mahfoud, 2016). Existencialmente, nossa posição em qualquer experiência é de espera. Sem espera, não se dá experiência, não pode se dar formulação de sentido pessoal. Qualquer objeto encontrado no mundo da vida tem seu sentido associado ao movimento de espera que caracteriza o sujeito da experiência. A espera é o ponto fundante: fora dela você não fica diante do outro e você não está presente (nem a si próprio). Sem essa espera não há movimento do eu.

Como apontado, tal espera tem critério: trata-se de abertura, mas não a qualquer coisa. Quando você espera encontrar alguém afetivamente significativo, não sabe quem seja ou que relacionamento será, mas sabe bem que nem todos correspondem à espera. Ainda que não saibamos exatamente o resultado, há um critério ativo: por ele, podemos chegar a afirmar, em certas ocasiões: "Era o que eu esperava", "Ganhei o dia", "Valeu a pena" – trata-se de valor reconhecido, trata-se de capacidade estritamente pessoal de avaliação. "As respostas que valem mesmo para mim, que me realizam, são respostas às perguntas que me constituem" (GIUSSANI, 2000, p. 86-87). Experiência elementar é exigência radical de sentido. "A exigência é a evidência de uma espera" (GIUSSANI, 2000, p. 86-87), abertura-espera essa que permite reconhecimento do sentido.

Experiência elementar são exigências tão radicais que chegam a ser mais fundamentais que os desejos. Pelo modo com que tradicionalmente a Psicologia enfoca os desejos, eles se estruturam a partir de faltas, sendo extintos juntamente ao encontrar o objeto do desejo. Já a exigência – essa espera estrutural – não desaparece no encontro com o objeto que lhe corresponde; pelo contrário, ela se exalta. Ao vivenciar exigência de sentido, encontrando algo significativo a exigência não se aplaca, permanece, se intensifica. Trata-se de um tipo específico de desejo, mais radical, fundante, constitutivo da pessoa (MAHFOUD, 2012b).

É significativo que Edith Stein (2013), ao apresentar o "núcleo da pessoa", também considera a abertura estrutural:

> Em tudo o que o ser humano experimenta, faz experiência de si. A experiência que faz de si mesmo é totalmente diferente daquela que faz de tudo mais. [...] Sou consciente de meu eu, não somente de meu corpo vivo, mas de todo o eu corpóreo-psíquico-espiritual. A existência do ser humano é aberta para dentro, existência aberta para si mesma, mas com isso é aberta para fora, é existência aberta, que pode conter um mundo em si. (p. 43-44)

Stein chega a falar de "estrutura vazia" à espera de preenchimentos, em sintonia com a abertura de espera apontada por Giussani.

Giussani identifica algumas expressões dessa espera estrutural, irrenunciável, inegociável: exigência de amor, de beleza, de justiça, de verdade, exigências de realização (Giussani, 2000). E Stein (2013), mesmo sem tratar daqueles elementos intimamente associados às exigências constitutivas, utiliza justamente aqueles termos para descrever as vivências associadas ao núcleo da pessoa:

> Partindo da experiência interior, apreendemos o que seja a alma, como interioridade num sentido mais próprio, como o que se enche de dor e de alegria, o que fica indignado por uma injustiça e se entusiasma por uma ação nobre; que se abre com amor e confiança a outra alma ou lhe nega acesso; não só compreende e estima intelectualmente a beleza e o bem [...] – tudo o que chamamos de "valor" – mas os acolhe em si e vive deles. (p.144)

Devido ao núcleo pessoal, além de reconhecer beleza, verdade e justiça, a pessoa vive delas; além de apreender valor, vive de valor; o encontro com algo que tem significado ativa a pessoa inteira, ao reconhecer que algo tem valor (ou, que tem a ver consigo) vive por aquele reconhecimento.

3. Experiência de si mesmo como acontecimento

A possibilidade de ativação da minha pessoa enquanto autenticidade e originalidade não se dá por análise de elementos específicos, mas por tocar o âmago da dinâmica pela qual me volto para o mundo, pela qual tomo posição diante do que acontece em mim e à minha volta. O que está em questão para a Psicologia e mesmo para a experiência não é tanto a possibilidade de conhecer certos aspectos de minha pessoa, mas fazer experiência mim mesmo, ter contato comigo mesmo, podendo estar mais presente no mundo e em cada gesto. Ao examinar minha história, a questão não é tanto a de reelaborar encadeamento de fatos e percepções ou construir alguma narrativa; enquanto considero história passada ou perspectivas futuras, frustração ou experiências de realização, dor ou satisfação, o que está em jogo é a possibilidade de contato comigo mesmo, de acesso à espera que eu sou; que eu possa apreender o acontecimento da dinâmica que me caracteriza, com a capacidade de avaliar tudo e com a surpresa e maravilhamento que caracteriza o contato com o próprio ser. O que está em jogo é a possibilidade de ativar minha experiência originária e original.

Nesse sentido, a importância da "experiência ontológica" (MORENO, 1988; OLIVEIRA, 2012[2]) pode ser revisitada na perspectiva destes dois autores: Edith Stein e Luigi Giussani. De fato, outra palavra-chave para esses autores é "acontecimento".

> *É um acontecimento a positiva resposta* à dramática dispersão em que a sociedade nos faz viver. *Só um acontecimento* [...] pode tornar claro e consistente o eu nos seus fatores constitutivos. Esse é um paradoxo que nenhuma filosofia e nenhuma teoria – sociológica ou política – consegue tolerar: que seja um acontecimento, não uma análise, não um registro de sentimentos, o catalisador que permite que os fatores do nosso eu venham a tona com clareza e que se componham diante de nossos olhos, diante de nossa consciência, com limpidez firme, duradoura, estável. Um acontecimento é o que torna o eu um sujeito capaz de uma ação que porte o mundo. (...) Essa clareza não pode vir de uma reflexão nossa;

---

[2] Conferir particularmente os capítulos "Experiência originária e subjetividade transcendental em E. Husserl" e "A autocompreensão do ser humano e seu lugar no universo".

somente de um acontecimento: é um acontecimento que porta essa clareza. (GIUSSANI, 1993, p. 477-478. Grifo do autor)

É um acontecimento – uma irrupção do novo – que coloca em movimento o processo pelo qual o eu começa a tomar consciência de si, a ter ternura para consigo mesmo, a dar-se conta do destino ao qual está se dirigindo, do caminho que está fazendo, dos direitos que tem, dos deveres a respeitar, de sua fisionomia toda. É um acontecimento que dá início ao processo pelo qual o ser humano começa a dizer *eu* com dignidade. E se alguém o tratasse sem respeito àquela dignidade, se quisessem de algum modo achatá-lo, torná-lo escravo, usá-lo como coisa sua, ele se rebelaria, porque sentiria tudo como a pior violência. (GIUSSANI, 1993, p. 479-480, grifo do autor)

Também Claude Romano (ROMANO, 2008, 2012; MARTINS, 2007) tem proposto a subjetividade como "acontecimento": não pode ser forjada, é vivida como abertura de um campo de possibilidades, para o qual o sujeito não faz rigorosamente nada, como no nascimento. Não podemos forjar um acontecimento, no entanto, toda experiência de si e experiência pessoal do mundo se dá a partir dele. Estar presente a si mesmo não vem de algum esforço, mas de abertura e de reconhecimento de algo significativo que se torna acontecimento.

Nessa perspectiva, considerar ser si mesmo não decai em objetivação, não se fecha em alguma forma ou conteúdo específicos, mas se dá como acontecimento de autêntica abertura de seu ser ao acontecimento do mundo para si.

Deixo aqui um exemplo, a mim muito caro, para ilustrar que subjetividade como acontecimento não é questão de mera argumentação abstrata, mas experiência possível a todo ser humano:

Um menino de rua adolescente passou por processo de orientação profissional possibilitado por um senhor que resolveu apoiá-lo, buscando identificar alguma formação profissional que pudesse fazer sentido para ele. Segundo um método que temos utilizado, o garoto apontou numa linha do tempo seus momentos intensos de vida, tanto no sentido positivo como negativo e a partir daí buscamos apreender o modo característico com que ele se põe no mundo-da-vida e o problematiza. Ele relatou que o momento mais significativo de sua vida se deu numa ocasião em que já não suportava viver e resolvera se suicidar andando contra os carros em movimento numa grande avenida. Em meio aos carros que passavam, ele se deu conta de estar vivo, deu-se conta de que podia não estar vivo, mas estava. Essa percepção se tornou um "acontecimento", com surpresa diante do seu ser: tinha tudo para não ser nada, mas era; tinha tudo para não estar ali, mas estava. Aquela apreensão de seu ser – com decorrente valor – inaugurou para ele uma possibilidade totalmente nova quanto ao viver. Ao longo do processo de orientação, o garoto comentou que aquele havia se tornado um momento-chave e que quando considerava uma atividade profissional concebia alguma ação pela qual ele pudesse afirmar a vida; e decidiu ser jardineiro para, no gesto concreto, afirmar a vida, com gratidão.

No acontecimento, o eu se reconhece, mesmo dentro de circunstâncias muito dramáticas, e a surpresa sobre si mesmo reinaugura a própria subjetividade, reinaugura o sentido ao se voltar para as coisas, para o tempo, para a ação; possibilita estar presente na ação que realiza no mundo.

Toda pessoa pode captar a radical importância de afirmar o acontecimento num gesto e no cotidiano, como Luigi Giussani e Edith Stein apontam sobre a possibilidade de se estruturar a própria pessoa a partir de acontecimentos, podendo estar presente no gesto. Afirmar o acontecimento num gesto estrutura a pessoa e sua posição no mundo. Isso tem a ver com o conceito de *habitus*, com que Stein (2013) e Giussani (2001) trabalham. Ao reafirmar sua própria posição, ela se estrutura em você; quanto mais você a afirma ou quanto mais você está presente no gesto que realiza, mais você está preparado para – no momento seguinte – fazê-lo novamente; a possibilidade vai se tornando sempre mais aberta, a disponibilidade também.

> *Fit habitus*, diz-se na terminologia tomista: a repetição dos atos, quanto mais se intensifica, mais se torna habitual; quanto mais se intensifica, mais se intensifica e tende a se tornar habitual. De uma habitualidade pela qual (...) você não vive a memória necessariamente com uma clareza absoluta mas é como se a memória lentamente se tornasse como um perfume, um frescor que se comunica à base de seu ser, que se comunica a toda iniciativa que você tome para agir (...). E na medida em que você avança, quanto mais repete o gesto, tanto mais uma coisa estável avança em você, uma postura que tende a se tornar estável, *fit habitus*: e, tendendo a se tornar estável, a recordação tende a se multiplicar mais facilmente. E quanto mais você multiplicar a recordação, tanto mais o desejo e o sentimento se estabilizarão, e se estabilizará a necessidade dela (...). Até que você chegue a um ponto da vida, a um nível da vida onde, de repente, a velhice muda de sinal e se torna mais jovem do que a juventude. (Giussani, 1996, p. 433)

Também a formação da vida interior se dá assim, e a subjetividade pode se tornar sempre mais acontecimento. Nesse sentido, "Quem sou eu?" é uma questão sempre em aberto, sempre reeditada, retomada em uma busca contínua. E justamente assim forma o sujeito em sua abertura própria.

4. Plantão Psicológico

Considerando que o Plantão Psicológico se pauta principalmente no momento do encontro, confiando que a elaboração da experiência potencializada ali pode abrir perspectivas para o processo da pessoa também no futuro (MAHFOUD, 2012a, 2013), é significativo considerar a importância da experiência ontológica, assim como do núcleo da pessoa e da experiência elementar, para uma ampliação das contribuições daquele sistema de atendimento em Psicologia.

Uma vez que o objetivo do Plantão Psicológico não é que a pessoa elimine a tensão com que vem vivendo, não é que ela resolva algum problema que a preocupe, não é modificar algum modo de pensar do sujeito, mas, sobretudo, que ela possa estar mais centrada em sua própria pessoa, então, considerar o contato consigo mesma como experiência de si pode potencializar a elaboração da experiência em geral a ponto de chegar a vivências de acontecimento. Ao conceber a pessoa como abertura, com sua espera constitutiva, estamos facilitados a acompanhar a pessoa no drama que está vivendo, afastando a tentação recorrente de procurar aliviar dificuldades para que a pessoa viesse a ter mais fôlego e, depois, poder viver autenticamente. A questão é que a pessoa possa reconhecer a si mesma, fazer experiência de si também na dor e sofrimento que vive e que a leva a procurar atendimento psicológico, conquistando novos recursos para elaborar e eventualmente superar o sofrimento. Assim, podemos, como plantonistas, estar profundamente presentes naquele momento, livres das expectativas de que a pessoa mude: estamos com ela na espera que vive naquela dor, naquele momento; não estamos olhando para ela como sofrimento, como limite, mas como espera. Paradoxalmente, as possibilidades de mudança aumentam por força do acontecimento da subjetividade mesma: cresce em muito a possibilidade de sintonia com a pessoa, pela ênfase no processo da pessoa. A descoberta de seu próprio movimento de espera leva a pessoa a atitudes de cuidado com seu processo de vida, ativando todas as dimensões da pessoa.

Mesmo o conceito de "empatia" – tão importante para os atendimentos em Plantão Psicológico – pode ser revisitado a partir dessas contribuições de Stein e Giussani (BARREIRA, 2014). Tradicionalmente temos tomado empatia enfatizando o sentimento, o impacto afetivo. Sem desconsiderar esse aspecto inevitável e fundamental da vivência empática, pode-se efetuar o trabalho de refletir a vivência do outro também quanto a sua atitude de espera e de busca, de modo que pela empatia a pessoa possa tomar de consciência de seu próprio âmago, segundo sua expressão e dinâmica pessoal característica reconhecida em sua própria vivência.

Desfrutando de sua subjetividade como acontecimento, o sujeito cresce em capacidade de sentimento e de reflexão em sintonia com sua corporeidade, cresce em sua capacidade de utilizar – com energia viva – toda a sua estrutura de pessoa; utiliza a "força vital" que lhe é própria para ativação de sua pessoa inteira: corpo, psique, espírito – energia corporal, sentimento, capacidade de juízo e de reconhecimento de valor (MAHFOUD e QUEIROZ, 2016; MAHFOUD, 2017b).

Outro aspecto importante que as contribuições de Stein e Giussani permitem revisitar para revitalizar o modo como temos realizado Plantão Psicológico é a tematização da "realização pessoal". Tem sido bem frequente recebermos, em Plantão Psicológico, pessoas queixando-se de desânimo para com a vida porque em coisa alguma se realizam plenamente, inclusive questionando se haveria algo de errado consigo por isso. É como se a pessoa concebesse precisar de algo que não encontra, continuamente substituindo uma coisa por outra, trocando de formação educacional, de trabalho e de parceiros afetivos, chegando a se consolidar, assim, um ceticismo. Revisitando a questão da realização pessoal com esses grandes autores, podemos apreender que ela se refere não tanto a alguma coisa específica que me preencha, mas, sobretudo, diz respeito a poder viver a própria dinâmica de espera e de abertura, possível mesmo no sofrimento, na falta, em contextos dramáticos, em situações não escolhidas, até em experiências de não correspondência. Trata-se de um deslocamento de eixo do problema da realização pessoal: não é questão de ajustes no modo ser da própria pessoa ou de suas relações significativas mirando formas, não se trata de assumir alguma bandeira ou causa para poder ser algo, pois forma alguma nos realizará plenamente e causa alguma poderá se enquadrar adequadamente à pessoa a si mesma. Nesse sentido a pessoa acabaria concluindo que a realização pessoal seria impossível. A realização está no modo pessoal como o sujeito se volta para alguma coisa, circunstância, sofrimento, alegria, ocasião, causa social, relações etc. chegando a um juízo pessoal capaz de colher o vínculo entre o objeto em questão e sua própria pessoa.

O questionamento que brota na vivência de toda pessoa pelo qual ela se pergunta "E eu com isso?" é uma abertura que potencializa a elaboração da experiência. O sujeito se volta às circunstâncias problematizando-as em termos mais pessoais: escolheu a faculdade e o parceiro afetivo, mas, e daí? Tem êxito no trabalho, para quê mesmo? Apenas a busca de ajustamento ao mundo, às relações significativas ou a um plano abstratamente idealizado conduz a desgaste afetivamente custoso que frequentemente desemboca em desistência da vida mesma. Potencializar a elaboração da experiência é fundamental em todas as experiências. Apreender a própria espera, identificar elementos – em si e à volta de si – que requeiram cuidados abre caminho para que a pessoa esteja mais presente para si mesma, mais presente em cada gesto de cuidado, e essa tomada de posição pessoal estrutura a própria pessoa; essa atitude de cuidado – em toda circunstância pessoal ou relacional – pode crescer continuamente, e assim pode-se viver a realização pessoal.

No atual momento histórico, revisitar o problema da realização pessoal é de fundamental importância. Voltar-se às formas das vivências distrai da espera que as constitui: a dinâmica pessoal vem a ser desqualificada e com ela o interesse pelo que se dá no mundo. A pergunta "E eu com isso?" passa a ser posta apenas para afirmar uma resposta negativa, para confirmar a não conexão entre minha pessoa e tudo mais: a pergunta deixa de ser espera. Desinteresse, alienação, depressão e desistência da vida mesma são consequências profundamente interligadas. A ativação da própria dinâmica pessoal rapidamente abre caminho totalmente diverso pelo simples fato de ser exigência de sentido. Assim, menos distraídos em formas e partes, o centro mesmo da pessoa recoloca horizonte de vida e dinâmica pessoal em qualquer circunstância – a vivência de liberdade daí decorrente é também vivida como realização pessoal. A recorrente pergunta "E eu com isso?" pode passar a ser ocasião de aprofundamento ao invés de recusa, e isso também é vivido como realização. "Quem eu sou?" pode ser uma questão continuamente aberta.

O que se dá na vida precisa ter a ver comigo – mas é questão de exigência pessoal, não de construção artificial. Quando o questionamento "E daí?" emerge em alguma experiência e surge para uma pessoa diante de seu mundo, repentinamente algo vem a fazer sentido, inaugurando possibilidades totalmente novas. Então, a problematização da realização – vivida pessoalmente de modo aberto e segundo a dinâmica que caracteriza a pessoa – abre possibilidades de realização.

Tomar posição pessoal em relação ao que nos corresponde pode estruturar vida íntima. Nesse sentido, o Plantão Psicológico pode contribuir significativamente ao ajudar a pessoa a tomar posição no momento presente contribuindo à constituição de um impulso livre frente a tudo o que possa se dar.

> As pessoas livres têm a possibilidade de manterem-se abertas diante das impressões (por ser, para elas, "natural"), podem fechar-se para depois reabrir-se. Nelas é possível também uma modificação da atitude impedindo de tornar extrínseco uma relação mútua – o que se dá sem uma explícita ação voluntária, isto é "involuntariamente", mas uma involuntariedade possível somente às pessoas livres. (Stein, 2003, p. 368)

Ajudar a pessoa a fazer contato consigo mesma, a identificar si mesma ao examinar suas experiências, pode ter grandes consequências para a continuidade da vida pessoal. Não se pode ter expectativa de abertura para tudo sem que a abertura às próprias vivências se estruture em *habitus* diante dos sentimentos, da dor, diante dos êxitos e diante do que não se dá conta de fazer. Ao cultivar a vida íntima é a pessoa que se estrutura para uma abertura mais extensa e mais constante.

Por fim, aponto a importância da "dimensão relacional" para nos dispormos a um aprofundamento do Plantão Psicológico. A disponibilidade sempre mais aberta estrutura-se acolhendo uma provocação, acolhendo um acontecimento. A pessoa realiza esse trabalho sobre si mesma e tem contato consigo mesma ao ser provocada por uma presença. No atendimento em Plantão Psicológico, se fixarmos o olhar apenas em processos psíquicos, convidaremos a pessoa a se olhar como reações; se mirarmos com surpresa o acontecimento daquela pessoa específica, ainda que numa condição difícil ou numa vivência de sofrimento, identificaremos a espera que a constitui, pulsando ali, e ela será facilitada a se ver como acontecimento.

Sem que falemos sobre isso com a pessoa, comunicamos essa possibilidade pela nossa própria presença, pelo tom de voz, pela característica do olhar, pela disposição corporal, ao comunicar interesse pelas suas vivências, por estarmos presentes em nossos gestos em direção a ela. Nossa própria presença carrega um convite – uma provocação – a que a pessoa entre em contato consigo mesma e com sua espera.

Somos essa provocação devido à consciência que temos de nosso trabalho, da missão enquanto trabalho (FRANKL, 2016), e também da consciência da importância das perguntas "Quem sou eu?" e "E eu com isso?" para nós mesmos enquanto estamos diante do outro. "Por que fazer esse trabalho agora tem a ver comigo?". Estando viva para nós tal questão, estaremos presentes com abertura viva e facilitaremos, assim, que o outro viva seu processo de abertura, que deposite o olhar justamente nessa abertura que ele é, e não em aspectos ou mecanismos. A questão fundamental é, então, a responsabilidade que temos com essa questão frente a si mesmos, de modo que nosso gesto coloque algo no mundo que gere pessoalidade.

O enorme desafio de chegar a si mesmos não se refere a alguma meta pré-estabelecida, mas é o desafio de estar presente no ato presente, sempre de novo – disposição de cada momento. O desafio de chegar a si mesmos é o de não deixar-se para trás, no gesto e ao longo do caminho.

Referências

ALES BELLO, A. *Pessoa e comunidade*: *comentários*: psicologia e ciências do espírito de Edith Stein. Prefácio, edição e notas de Miguel Mahfoud. Tradução de Miguel Mahfoud e Ir. Jacinta Turolo Garcia. Belo Horizonte: Artesã, 2015.

BARRREIRA, C. R. A. A bela adormecida e outras vinhetas: a empatia, do corpo a corpo cotidiano à clínica. In: SAVIAN FILHO, J. (Org.). *Empatia*: Edmund Husserl e Edith Stein: apresentações didáticas. São Paulo: Loyola, 2014. p. 53 - 93.

CURY, B. T.; MAHFOUD, M. Núcleo pessoal e liberdade na formação da pessoa a partir de Edith Stein. In: MAHFOUD, M.; MASSIMI, M. (Orgs). *Edith Stein e a Psicologia*: teoria e pesquisa. Belo Horizonte: Artesã, 2013. p. 217-237.

FRANKL, V. E. *Teoria e terapia das neuroses*: introdução à logoterapia e à análise existencial. Tradução de Heloísa Reis Marino. São Paulo: É Realizações, 2016.

GIUSSANI, L. *Un avvenimento di vita, cioè uma storia*: itinerario di quindici anni concepiti e vissuti. Roma: Il Sabato, 1993.

GIUSSANI, L. *Si può veramente vivere cosi?*. Milano: Rizzoli, 1996.

GIUSSANI, L. *L'autocoscienza del cosmo*. Milano: Rizzoli, 2000.

GIUSSANI, L. *O eu, o poder, as obras*: contribuição de uma experiência. Revisão da tradução por Neófita Oliveira e Virgilio Resi. São Paulo: Cidade Nova, 2001.

GIUSSANI, L. *O senso religioso*. Tradução de Paulo Afonso E. Oliveira. Brasília: Universa, 2009.

GRYGIEL, S. L'uscita dalla caverna e la salita al monte Moria: saggio su cultura e civiltà. *Il nuovo Areopago*, Forlì, v. 19, n. 2 - 3 (Nuova Serie), p. 25-61, 2000.

GUIMARÃES, A. C. B; MAHFOUD, M. Tornar-se si mesmo: elaborações a partir de Luigi Giussani e Edith Stein. In: MAHFOUD, M.; MASSIMI, M. (Org.s). *Edith Stein e a Psicologia*: teoria e pesquisa. Belo Horizonte: Artesã; 2013. p. 195-216.

MAHFOUD, M. A vivência de um desafio: plantão psicológico. In: MAHFOUD, M. (Org.). *Plantão psicológico*: novos horizontes. 2. ed. rev. e aum.. São Paulo: Companhia Ilimitada, 2012a. p. 17-29.

MAHFOUD, M. *Experiência elementar em psicologia*: aprendendo a reconhecer. Brasília: Universa; Belo Horizonte: Artesã, 2012b.

MAHFOUD, M. Desafios sempre renovados: plantão psicológico. In: TASSINARI, M. A.; CORDEIRO, A. P. S.; DURANGE, W. T. (Orgs). *Revisitando o Plantão Psicológico centrado na pessoa*. Curitiba: CRV, 2013. p. 33-50.

MAHFOUD, M. Estruturação da experiência segundo Luigi Giussani. *Estudos em Psicologia*, Campinas, v. 33, n. 3, p. 395-401, 2016.

MAHFOUD, M. (Org.). *Quem sou eu?*: um tema para a Psicologia. Belo Horizonte: Artesã, 2017a.

MAHFOUD, M. Formação da pessoa em Edith Stein: dos dados sensíveis à plenitude da pessoalidade. In: MAHFOUD, M.; SAVIAN FILHO, J. (Orgs). *Diálogos com Edith Stein*: filosofia, psicologia, educação. São Paulo: Paulus, 2017b, p. 283-295.

MAHFOUD, M.; MASSIMI, M. História, memória e processos de subjetivação para a vida da cultura e da civilização. In: MASSIMI, M. (Org.). *Psicologia, cultura e história*: perspectivas em diálogo. Rio de Janeiro: Outras Letras, 2012. p. 55-68.

MAHFOUD, M.; QUEIROZ, M. I. C. de. Do habitus à unidade da força no pensamento steiniano: abertura para compreensão da virtude no luto. *Argumentos*, Fortaleza, v. 9, n. 16, p. 122-136, 2016.

MARTINS, J. G. Experiência e subjetividade em Claude Romano. In: CANTISTA, M. J. (Org.). *Desenvolvimentos da fenomenologia na contemporaneidade*. Porto: Campo das Letras, 2007. p. 167-213.

MORENO MÁRQUEZ, C. *Experiencia ontologica e intersubjetividad en la fenomenologia de Husserl*. Tese (Doutorado), Faculdad de Filosofia, Universidad de Sevilla, Sevilha, Espanha, 1988. Disponível em: <http://fondosdigitales.us.es/tesis/

tesis/122/experiencia-ontologica-e-intersubjetividad-en-la-fenomenologica-de-husserl/>. Acesso em: 24 jul. 2018.

OLIVEIRA, M. A. de. *Antropologia filosófica contemporânea*: subjetividade e inversão teórica. São Paulo: Paulus, 2012.

RICOEUR, P. Morre o personalismo, volta a pessoa... In: RICOEUR, P. *Leituras II*: a região dos filósofos. Tradução de Marcelo Perine e Nicolas Nyimi Campanário. São Paulo: Loyola, 1996. p. 155-162.

ROMANO, C. *Lo posible y el acontecimiento*. Tradução de A. Fornari, P. Mena e E. Muñoz. Santiago de Chile: Universidad Alberto Hurtado, 2008.

ROMANO, C. *El acontecimiento y el mundo*. Tradução de Fernando Rampérez. Salamanca: Sígueme, 2012.

SBERGA, A. A. *A formação da pessoa em Edith Stein*: um percurso de conhecimento do núcleo interior. São Paulo: Paulus, 2015.

SPINK, M. J. P. Pessoa, indivíduo e sujeito: notas sobre efeitos discursivos de opções conceituais. In: SPINK, M. J. P.; FIGUEIREDO, P.; GRASILINI, J. (Orgs). *Psicologia social e pessoalidade*. Rio de Janeiro: Centro Edelstein de Pesquisas Sociais, 2011. p. 1-22.

STEIN, E. *Potenza e atto*: studi per una filosofia dell'essere. Tradução de Anselmo Caputo. Roma: Città Nuova, 2003.

STEIN, E. *La struttura della persona umana*: corso di antropologia filosofica. Tradução de Michele D'Ambra. Roma: Città Nuova, 2013.

ZILLES, U. *Pessoa e dignidade humana*. Curitiba: CRV, 2012.

Um olhar fenomenológico sobre o processo psicoterapêutico da criança

Telma Fulgêncio Colares da Cunha Melo

1. Introdução

Este texto é uma proposta de reflexão sobre o processo psicoterápico infantil a partir do olhar fenomenológico, cuja metodologia primeira é a relação criança/adulto, paciente/terapeuta, no movimento livre do brincar. Ele surge da minha vivência como psicoterapeuta infantil, bem como da minha experiência como supervisora de alunos principiantes na função de psicoterapeutas.

O mundo atual é o tempo do imediato, tudo é para já. Busca-se a eficiência e a eliminação do sofrimento o mais rápido possível. Os pais trazem as queixas e os sintomas, ou melhor dizendo, o sofrimento da criança, e acreditam que a visita ao psicólogo fará o sofrimento desaparecer rapidamente. Querem eliminar a todo custo o sofrimento da criança que os remete ao seu próprio sofrimento desencadeando um sentimento de culpa e de impotência frente à paternidade/maternidade, que às vezes ficam insuportáveis e desestabilizam toda a família. A primeira questão a se fazer será: de quem é o sofrimento, dos pais ou da criança?

A psicoterapia na vertente fenomenológica tem como fundamento uma compreensão fenomenológico-existencial do homem, que olha para o paciente como um "ser" de possibilidades na sua incompletude existencial; um ser-no--mundo. Portanto, o olhar não é apenas para a criança, mas também para o contexto em que ela se encontra inserida. O foco primeiro do trabalho é ir ao encontro da criança no seu momento peculiar de vida na confiança da possibilidade de construir com ela uma relação de respeito, confiança e intimidade, uma relação genuína capaz de remetê-la ao seu jeito singular de ser no mundo. A busca não é a eliminação de sintomas ou sofrimento, nem tão pouco "encaixar" a criança nas exigências mundanas, mas auxiliá-la a construir seu caminho no mundo a partir das possibilidades do seu próprio caminhar.

Esse contexto do atendimento infantil remete os psicoterapeutas a questões inusitadas e bastantes delicadas, como atender às necessidades das crianças de ser elas mesma em um mundo onde já se estabeleceu *a priori* o modo como ela deve ser. Como acolher e atender os pais que não percebem a criança no seu momento, por já ter idealizado um modo futuro dela ser e por acreditar que elas só serão competentes e produtivas na idade adulta. Como acolher e cuidar das necessidades urgentes dos pais de "endireitar" a criança sem ignorar o seu modo próprio de ser.

Para refletir sobre essas questões, pretendo tecer considerações sobre o "Ser da criança". Como é ser criança no mundo atual. Como os pais, a escola e a sociedade olham para essa criança no mundo atual. Em um segundo momento, pensaremos como poderá ser o processo psicoterapêutico que pode auxiliá-la a ser-si-mesma e a construir seu autossuporte no mundo da técnica e da urgência abalizada pelo conceito de efetividade e de eficiência. Serão abordadas as peculiaridades do processo terapêutico infantil a partir do brincar na vertente fenomenológico-existencial.

Não tenho pretensões de dar respostas, muito menos de ensinar o ofício do psicoterapeuta. Meu intuito é apenas refletir sobre as possibilidades do encontro terapêutico com a criança com o objetivo de ampliar a consciência infantil sobre suas experiências no mundo a partir do que lhe é mais original, "o brincar", para que possa no seu ritmo e diante das suas possibilidades, preservar sua condição infantil de ser-si-mesma.

2. Psicoterapia fenomenológico-existencial

A psicoterapia fenomenológico-existencial tem uma proposta relacional dialógica para o momento Psicoterápico. O caminho que seguimos ao praticá-la é peculiar requer uma nova postura frente ao conhecimento e ao mundo. A forma de pensar, olhar, compreender e viver a vida passa por outro viés. Saímos dos "porquês", das explicações, dos sintomas, para a compreensão do "ente" criança que se apresenta a nós. Saímos da certeza dos conceitos teóricos estabelecidos pelas teorias de desenvolvimento oriundas das ciências naturais para a compreensão do ser da criança onde a principal ferramenta usada é a investigação e não a explicação. A compreensão da fenomenologia que sustenta a nossa prática requer tempo, perseverança, estudo, compreensão e mudança de postura na vida. É desafiador, frequentemente esbarramos em nós mesmos nos pensamentos e conhecimentos teóricos/científicos, pois andamos na contramão. A questão que nos impõe a todo instante é, se o método das ciências naturais por si só é suficiente para a compreensão do homem? Compreender o existir humano requer como acreditamos um outro movimento. O movimento investigativo, uma curiosidade permanente que nos leva a indagar "quem é o homem", como este homem se encontra no mundo, como se dá o seu acontecer no mundo. Saímos da tradição do pensamento metafísico que impera no mundo contemporâneo onde o homem é o senhor do universo, aquele que define e tem certezas científicas, aquele que pode e transforma o mundo inclusive a si próprio, para uma postura em que o homem se reconhece como existência como movimento que o remete a uma abertura do possível que é a liberdade para realizar-se enquanto "unidade ser-mundo". O conhecimento sai das certezas conceituais para as incertezas e possibilidades do existir.

O pensamento que norteia as ações da modernidade é o conhecimento, cujos parâmetros são: objetividade, pressa, controle, posse. Entre homem e mundo existe uma distância. Ele conceitua e explica, tem poderes sobre o mundo uma vez que é ele o único ente que pensa mundo e a si mesmo. Para conhecer ele acredita que seja necessário se distanciar dos objetos os outros entes mundanos enquanto mede, calcula, explica e conceituar. Impera, portanto, a razão. O conhecimento confere ao homem um poder sobre o mundo. O homem é reconhecido como aquele que faz e constrói o mundo, "é o senhor poderoso do universo". Quanto mais o homem sabe, mais cria, mais transforma e mais controle e poder tem sobre o mundo.

O referencial teórico fenomenológico é outro: o foco sai do mundo para o ser-no-mundo. O homem perde poder, mas aproxima-se mais de si mesmo. Ele não é mais aquele que explica e conceitua mundo e existência, ele se compreende e compreende ao mundo a partir das vivências cotidianas. O seu crescimento acontece no ser-no-mundo-com-o-outro. Na referência existencial fenomenológica, o conhecimento abarca a totalidade homem-mundo, o saber não passa apenas pelo viés teórico, ele dá um passo além. O olhar é outro. O homem não tem esse poder absoluto de conhecer, conquistar, criar e conceituar o mundo, pois ele e o mundo formam uma unidade inseparável. Conhecer e criar, na perspectiva fenomenológica, não aparece mais como produzir e transformar, mas sim como *poieses*, palavra de origem grega que significa "libertar", "desvelar", "descobrir", "desenvolver". Pensando assim, a psicoterapia sai do lugar de produzir para o lugar do fazer "com", que possibilita o "des-cobrir", o "des-velar", "des-envolver". O foco sai da doença, do sintoma, para o modo como o homem se apresenta ao outro e ao mundo. A ênfase psicoterápica desloca do transformar, do adaptar, para o viver com, o descobrir, o compreender, o desenvolver. A relação paciente/terapeuta ganha uma atenção especial. A ênfase passa a ser a parceria terapeuta/paciente o que acontece nesse entre. Essa parceria vai se construindo pouco a pouco. A disponibilidade e confiança do terapeuta de estar com o outro acreditando nas possibilidades do encontro vai facilitando o estabelecimento de uma intimidade que acontece no interesse afetivo do cuidar. A psicoterapia, nesse sentido, é um fazer "com", em que predomina respeito, intimidade, perseverança, paciência e cuidado. É um encontro no qual se faz possível a escuta do dizer do silêncio, do vazio e da dúvida, vivenciados pelo paciente, mas também pelo psicoterapeuta. Acontecem com frequência, são necessários e produtivos, às vezes geram dúvidas, insegurança e angústia no terapeuta, mas essa escuta é um convite para que ele possa ir para além da técnica e do desejo de extirpar comportamentos inadequados. Deslocar do poder no qual a razão impera, em que tudo é factível de maneira cada vez melhor e mais rápida, para um outro lugar em que a luz da intimidade possa "deixar" que o ser-do-ente-criança se desvele. Esse movimento é sutil e só pode acontecer na disposição "espontânea afetiva do encontro genuíno" que acontece na afinação afetiva paciente/psicoterapeuta, em que o terapeuta, despojado do seu poder de adulto e técnico, entrega-se para o encontro colocando-se inteiramente à disposição do momento vivido. Na compreensão fenomenológica, o psicoterapeuta coloca em suspensão o seu saber para se encontrar com a criança.

3. A criança e os pais do mundo contemporâneo

A criança no mundo contemporâneo é ainda compreendida como frágil e incompleta, precisando esperar o futuro para entrar em ação, "ser gente" e crescer, para ser respeitada como pessoa. Os pais as escolas e a sociedade estão sempre cuidando dela com um olhar de incapacidade, de impotência e de inocência. Educam as crianças para o futuro, pois acreditam que sua eficiência na vida como homem só se fará presente na vida adulta após ser educada. Fica quase sempre implícita no olhar do adulto uma descrença na sua capacidade de suportar a vida. É como se ela precisasse virar adulto, para começar a se responsabilizar pela sua existência.

A cultura do prazer e da felicidade na sociedade contemporânea faz com que os adultos protejam as crianças das vivências mundanas a qualquer custo. Acredita-se que ela não é capaz de suportar sofrimento e que não suportará a vivência da frustração. Por acreditar que a criança é frágil e que a frustação pode causar danos irreversíveis, o adulto vivencia a dificuldade de dizer "não", o que dificulta a sua convivência com o outro no mundo, retardando também a aquisição da autonomia. A descrença na natureza infantil, a ideia da criança frágil, paralisa o adulto, que não sabe lidar com os caprichos do querer imediato próprio da infância. Há um culto exacerbado do bem-estar e da felicidade, impedindo os pais de acompanhar a criança na sua caminhada existencial. Alegria, sofrimento e dor são inevitáveis na vida, independem da idade. Tanto o adulto como a criança são suscetíveis a vivências dolorosas, pois elas são inerentes ao processo de crescimento. Quando a criança tem a oportunidade de vivenciar e compartilhar com o adulto a sua dor, suas perdas e suas frustrações, ela desenvolve habilidades existenciais, amplia fronteiras e alarga o seu horizonte de compreensão do viver.

Os pais do momento atual voltam o olhar para o futuro, empenham-se em preparar os filhos para um futuro em que a referência é o momento atual da sociedade. Há uma preocupação excessiva de preparar os filhos para no futuro serem adultos bem-sucedidos no mercado de trabalho. Querem a garantia de que eles possam brilhar na vida. Esquecem a peculiaridade da infância, transformam o dia a dia dos pequenos num verdadeiro mundo adulto, impedindo a criança de desfrutar da leveza e da liberdade da infância. Cria-se para elas uma agenda repleta de compromissos com tantos afazeres que não sobra tempo para o "ócio criativo", para o brincar. O tempo livre para criar os brinquedos e as brincadeiras fica escasso. Com isso, elas buscam os brinquedos eletrônicos, que estão prontos. São brincadeiras solitárias ou com amigos virtuais. A criança já se sente solitária ainda muito jovem. Os jogos virtuais ativam as habilidades perceptivas, o raciocínio e a concentração, mas, ao mesmo tempo, diminuem a habilidade criativa, a sociabilidade, a motricidade, e capacidade de resolver problemas simples do cotidiano como, por exemplo, o preparo de um lanche, a escolha da roupa, a escolha do alimento. As crianças estão vivendo em um mundo pronto onde encontram tudo ao alcance das mãos. Elas muitas vezes não reconhecem a falta, mas há também uma ausência do desejo.

As crianças são monitoradas todas as horas do dia, pelos pais, babás, escola, pelos professores de esportes e até nas festas de aniversários e parques infantis, onde os monitores ficam a postos. Já não têm mais liberdade para criar brincadeiras, fantasiar e sonhar, pois quase nunca ficam sozinhas. O movimento de aquisição de autonomia fica cada dia mais lento. Em nome da segurança ameaçada pela violência social (drogas e violência física), a criança vive atualmente uma perda significativa da sua liberdade. Os pais, muito receosos e amedrontados, desdobram-se em vigilância extrema e excessos de cuidados para garantir a segurança dos filhos. Com isso, dificultam e retardam o ingresso natural da criança no mundo da vida. Esse movimento adia o desenvolvimento da autonomia da confiança e do reconhecimento das suas competências e dos seus limites. As crianças, sem o saber o que estão fazendo, transferem para os adultos toda a sua responsabilidade do existir. O adulto, com o seu medo e a descrença na capacidade de existir da criança, peca pelo excesso de proteção, trazendo as decisões prontas e definidas para ela, uma vez que dá como certa sua fragilidade de compreender e cuidar de si no mundo. Ele quase nunca estimula a criança a conscientizar-se e responsabilizar-se por seus atos. Imagina que isso só pode ocorrer a partir de uma certa idade. Podemos verificar essa conduta do adulto, por exemplo, quando diz: "Ela é muito nova, ainda não sabe o que faz". A infantilização dos filhos é iminente com a proteção exagerada. Mas o contrário também é verdadeiro: encontramos pais rigorosos preocupados com o futuro, com o vir-a-ser da criança, que imaginam e idealizam uma forma ideal de vida para os filhos. Estimulam em excesso e exigem dos filhos comportamentos incompatíveis com o seu modo de ser. É como se empurrassem os filhos para a vida adulta tirando-lhes o que lhe é mais caro: "o tempo da infância". Isso pode ser ilustrado quando se diz a uma criança: "Tome conta da casa e dos seus irmãos, você é o homenzinho da casa"; ou "Seja, forte, homem não chora". Dizem ainda: "É necessário que ela aprenda agora enquanto pequena outras duas línguas, além da língua materna, para que possa entrar no mercado competitivo"; "Estou preparando meus filhos para o mundo, eles precisam de competência, senão não vão sobreviver". Essas são falas frequentes na minha clínica. As crianças são desvalorizadas subjugadas e pensadas como incompletas, como alguém que precisará de uma educação rígida e autoritária para se transformar em um adulto competente. É frequente escutar: "Criança não precisa saber"; "Ela não sabe o que quer"; "Ela não tem que querer"; "Pode falar, ela não entende"; ou, ainda, "Eu sei o que é melhor para ela". Nesses casos, o poder é todo do adulto, e a criança é vista como inocente, tendo que obedecê-lo pois é ele quem sabe o que é bom para ela. Nesse vai e vem do olhar poderoso do adulto, a criança deixa de ser vista pelo modo como ela se apresenta no mundo. O seu jeito próprio de existir é negligenciado.

As escolas da atualidade brasileira se estruturaram como empresas, onde a competitividade fala mais alto. Estão preocupadas em angariar alunos, atendem às solicitações do mundo, atendendo mais aos pais com suas expectativas futuristas e menos às crianças com as necessidades e peculiaridades da infância. A competitividade, o individualismo, a crueldade e a falta de companheirismo sobrepõem a solidariedade, a compaixão e a ética, dando lugar ao aumento crescente do *bullying*, que as escolas trabalham apenas pontualmente quando ele atinge as redes sociais ou os acidentes trágicos acontecem. O foco é o conteúdo, elas organizam os seus currículos repletos de teorias que priorizam o desenvolvimento cognitivo, deixando para segundo plano as relações sociais e o fazer do cotidiano. É considerada a melhor escola aquela que dá mais tarefas para casa e doutrina o seu aluno para passar no vestibular, hoje substituído pelo Enem.

As famílias, primeiro lugar do encontro criança/mundo, estão na atualidade passando por grandes transformações. A dinâmica familiar modificou. A família já não é mais composta apenas por pai, mãe e irmãos. Sabe-se, pelo Senso 2010 do IBGE, que mais de 39,5% das famílias brasileiras são hoje conduzidas somente por mulheres que necessitam se ausentar do cuidado dos filhos para manter o sustento da casa. Os pais, impossibilitados de estarem com a criança, recorrem à assistência dos avós, babás, creches e escolas. Outra novidade com menor incidência são as famílias cujos filhos são assistidos somente por um dos pais. Há outras em que os filhos, após o divórcio, passam a ter duas casas com rotinas e educação diversas. Nesses casos, muitas vezes dividem o lar com outras crianças de faixa etária semelhante ou diferente, os filhos dos novos parceiros. Não podemos nos esquecer das crianças que são criadas por duas mães ou dois pais, os filhos de casais do mesmo sexo. Com essa diversidade de arranjos familiares as divergências em relação às condutas educativas ficam constantes e em várias ocasiões a criança não sabe a quem se reportar e ainda muito nova precisa de grandes manobras físicas e emocionais para se adaptar à nova realidade. Essa nova dinâmica familiar pode trazer desconforto a pais e filhos, pois se perde um pouco da intimidade e familiaridade construída na convivência do dia a dia.

Por outro lado, existe também outra realidade: o mundo voltou-se para esta etapa da vida, a infância. As crianças hoje estão pouco a pouco conquistando um lugar no mundo. Os pais do século XXI estão mais atenciosos com seus filhos, privilegiando o seu querer. Antes, o cuidado e a educação dos filhos ficavam a cargo das mães. Os pais eram responsáveis pelo sustento financeiro, ficavam ausentes do cotidiano. Hoje, eles estão muito mais presentes, o sustento da família passou a ser dividido entre o casal e, consequentemente, os pais passaram a preocupar-se com o dia a dia dos filhos, estando bastante participativos no educar. A convivência entre pais e filhos tem ampliado. As mudanças na configuração do mundo das famílias e da sociedade estão acontecendo rapidamente, e me parece que o movimento está além da capacidade de absorção das pessoas. Vários pais chegam ao consultório dizendo: "É muito difícil educar estamos perdidos. Também, filho não vem com manual!". É uma frase que vem em tom de brincadeira, mas que demonstra as dificuldades e as incertezas de como manejar a relação pais e filhos. Percebo um sofrimento dos pais pela incerteza dos caminhos a seguir com a educação e convivência com os filhos

O exposto acima traz situações novas, problemas que pedem soluções atuais para questões que promovem desconfortos. Como sinalizam Pompéia e Sapienza (2011), "[...] não existe ainda tradição para indicar os procedimentos mais adequados a essa nova condição". O mundo está muito dinâmico, as mudanças são grandes e rápidas. A família, em sua nova configuração, se torna nova ao mundo científico, ao mundo psicoterapêutico, ao mundo social e cultural, e requer, portanto, um olhar mais indagativo mais descritivo e mais afetivo para que possamos compreender o sentido das vivências dessas novas famílias. Avaliar e explicar essas novas configurações familiares pouco nos acrescenta.

Por tudo isso descrito acima, o perfil das crianças que chegam ao consultório tem mudado. Elas queixam-se de solidão, têm dificuldade de brincar, são individualistas, se mostram resistentes a negociações e alheias aos acontecimentos do cotidiano. São crianças muito estimuladas, chegam cada dia mais novas e acometidas de crises de ansiedade cada vez mais fortes e mais frequentes nos consultórios. Fico indagando se o excesso de estímulos gera ansiedade. Percebo as crianças mais dispersas, mais alheias aos acontecimentos do cotidiano, mais "ensimesmadas" com dificuldade de expressão e interação. Parece-me não terem tempo de processar o alto grau de informação recebido e a pressão pela competência, diante disso se dispersam. Tem aumentado consideravelmente a queixa de dispersão, traduzida pelos especialistas como "déficit de atenção". Fico me perguntando se esse sintoma não seria uma sabedoria interna a partir da qual a criança, sem saber fazendo, se cuida, dispersando, buscando o equilíbrio e o bem estar. Vejo esse mecanismo como saúde e não como doença.

O psicoterapeuta precisa compreender que ele foi solicitado a partir de um paciente que chamo de "identificado". Ele é o sujeito que denuncia a pressão vivida ou a desorganização familiar, através do seu sofrimento. Ele é o delator da desorganização contextual. O psicólogo precisa, então, dirigir o olhar não apenas ao paciente, mas ao sistema familiar, escolar, social e cultural. Olha-se para o campo ao qual o paciente pertence. A eliminação de sintomas e a adaptação do indivíduo no mundo não fazem parte do nosso trabalho. A fenomenologia busca compreender o modo de estar-aí-no-mundo, da família, dos pais e da criança que apontou, que denunciou, com sua desordem (sintoma), o "adoecimento" do sistema familiar, e não apenas da criança.

4. A criança na perspectiva fenomenológico-existencial

Esse olhar de fragilidade, de incompetência – e, como diz Cytrynowicz (2000), "[...] da criança na perspectiva de 'ainda não ser' e 'ter de deixar de ser'" –, mencionado anteriormente, não fica apenas a cargo da família da escola e da sociedade. As teorias de desenvolvimento, na tentativa de estudarem o homem, ocuparam principalmente dos humanos nas idades tenras até a adolescência como se o homem, ao tornar-se adulto, não mais desenvolvesse. Grande equívoco. A existência humana acontece ininterruptamente o homem só interrompe o seu desenvolvimento com a morte. Devemos pensar no desenvolvimento não apenas da criança, mas do homem. O caminhar da vida se dá mesmo antes do nascimento e só termina com a morte. Ele acontece a cada dia. É um caminhar solitário em companhia, pois as vivências são únicas, mas elas acontecem na co-vivência com o outro. As teorias psicológicas de desenvolvimento ocuparam-se apenas de um período da existência. Estudaram, explicaram e definiram um padrão de normalidade da existência da criança como: a melhor idade para a criança entrar na escola, a cronologia do desenvolvimento motor, desenvolvimento social, linguístico e afetivo, referendando, assim, a conduta normal. O que elas sustentam como desenvolvimento normal torna-se, então, padrão de crescimento e de conduta. As descrições de comportamentos normais atendem a um princípio científico de verdade universal. Assim, as teorias buscam padrões gerais que servem à comparação e à unificação do desenvolvimento infantil.

Essas teorias seguem os parâmetros metafísicos das ciências naturais, as quais visam a alcançar uma definição absoluta e generalista das coisas do mundo. As crianças, quando estudadas, como objeto de pesquisa, foram observadas pelo adulto, portanto não foram estudas a partir da sua natureza própria. Foram estudadas a partir do que o pesquisador percebeu, deduziu e afirmou.

A atitude natural das ciências humanas que fundamenta as teorias de desenvolvimento dificulta a compreensão do existir da criança, pois, ao estudar a criança através da observação, fica difícil para o adulto subtrair do comportamento dela o que está ligado à sua presença de adulto. É sempre o olhar de um adulto para a criança, e a natureza dela não é descrita, como afirma Merleau-Ponty (2006):

> A única atitude científica em psicologia da criança é aquela que visa a obter, por meio da exploração exata dos fenômenos infantis e dos fenômenos adultos, uma exposição fiel das relações entre a criança e o adulto, tais como elas se estabelecem efetivamente na própria investigação psicológica. (p.239)

Ele afirma que, para abarcarmos a natureza da criança, precisamos descrevê-la nas suas vivências e na sua forma de estar no mundo. Fica agora uma pergunta: como então podemos compreender a criança? Estaria então Merleau-Ponty com a fala acima invalidando as teorias do desenvolvimento?

Não se trata de invalidar as teorias do desenvolvimento, mas de constatar que a perspectiva que elas abordam é insuficiente para a compreensão do mistério da existência. Elas orientam as condutas humanas, mas por si só não abarcam os movimentos ininterruptos da existência. Para conhecermos fenomenologicamente a criança e compreendê-la, precisamos perguntar: quem é a criança ou como é a criança? Essas questões deveriam ser feitas às próprias crianças, que podem ou não ter condições de esclarecê-las. Diante da distância entre adultos (estudiosos) e criança (objeto de pesquisa), estabelece-se uma distância que pode e deve ser questionada quando se estuda esta etapa da vida. As Teorias de Desenvolvimento nos remetem à pluralidade infantil; a perspectiva fenomenológica vai além: ela nos convida a pensar a infância na singularidade de cada criança. É necessário, diante da criança, ir para além das teorias e olhar para ela no seu momento de vida, sem negligenciar o seu contexto e o modo como ela se apresenta no mundo, portanto, o seu tempo, seu espaço-no-mundo. Existe uma distância real da perspectiva adulta e da perspectiva infantil quanto à natureza da criança, isso não pode ser negado e nem tampouco negligenciado. A fenomenologia no estudo da criança oferece elementos para além das teorias do desenvolvimento. Ela busca captar a vivência da criança, o significar das suas experiências no-mundo-com-o-outro. Ela vai além das ciências naturais enriquecendo as teorias do desenvolvimento. A perspectiva fenomenológica propõe a apreensão da criança na inter-relação com o adulto e o foco é a singularidade da pessoa e da relação. A direção do olhar do psicoterapeuta é para o "entre", para a experiência do contato, lugar comum aos dois, criança-adulto, constituindo-se um espaço mútuo. Trata-se, portanto, de um lugar do movimento inter-relacional.

5. A criança no seu desenvolver

A palavra "criança" vem do latim *creantia,* formada pelo verbo *creo, creare,* que significa, ao mesmo tempo, "crescer" e "criar", "desabrochar", "realizar", "inventar". A criança é, então, o desabrochar da criação: ela cria o mundo e a si mesma fazendo, inventando, realizando. Ela descobre, inventa, fantasia e significa o seu mundo com os seus próprios recursos na convivência com os outros. Mas esse movimento não pertence apenas à infância, ele é próprio do existir humano. Ele acontece por toda a existência.

O existir humano é o revelar de possibilidades que se dá em um movimento contínuo que ao mesmo tempo se mostra e se esconde. Podemos pensar na metáfora de um caminho escuro e tortuoso que vai se abrindo e se iluminando à medida que se caminha. É um percurso imprevisível, que não tem projeto *a priori*. É compartilhado, o caminhante precisa sentir-se acolhido para caminhar, mas pode também, às vezes, mesmo acompanhado, sentir-se solitário e desabrigado. Apesar de sempre se ter outros acompanhantes ao longo do caminho, é necessário que a individualidade dos caminhantes seja preservada. Há uma troca natural e incessante entre eles. Cada um carrega consigo um pouco do outro. A criança, como é recém-chegada ao mundo, necessita de constante companhia. No início da vida ela é mais dependente, mas, à medida que cresce, a dependência diminui, porém a necessidade do outro perdura por toda a existência.

Alguns caminhos são curtos, outros longos; uns tortuosos e difíceis ou retilíneos e tranquilos. Têm como início a concepção e como fim a morte. A infância faz parte do caminho da existência, ela tem suas peculiaridades como qualquer outra etapa da vida. Ao longo desse caminho o homem vai se modificando e construindo a sua história às vezes aproximando-se de si mesmo e outras vezes distanciando-se do seu modo próprio de Ser, isso acontece a partir das relações durante toda a existência.

A criança é um Ser humano que acaba de chegar ao mundo e encontra-se aberta ao acontecer sempre direcionada para o futuro, um vir-a-ser. Ela é nova num mundo já existente e inicia sua caminhada em companhia do adulto que já o habita. Foi ele quem escolheu trazê-la. Ela é incluída na história dos pais, a qual será atualizada com a sua chegada. É um caminho novo para os caminhantes, pais e filhos. Ele se forma se transforma e configura a cada passo dado. Todos se afetam mutuamente e são responsáveis pela forma como caminham. Mesmo que a criança que num primeiro momento, não compreende a importância e o caráter essencialmente histórico e responsivo dos seus passos, traz consigo a possibilidade a responsabilidade e a liberdade de caminhar e de escolher qual caminho quer trilhar. Porém, os seus recursos são, na infância, ainda precários, e precisam ser cultivados para florescer. Compara-se metaforicamente a uma semente que se plantada em terra fértil, regada e molhada, floresce e produz novos frutos. Precisa ser cuidada para florescer não pode ser dominada nem tampouco adestrada. A criança já reconhece, sente e se ajusta criativamente ao que melhor lhe convém. Se estiver com fome chora para receber alimento. Se estiver satisfeito sorri ou dorme. Ainda não tem os recursos da linguagem falada do adulto, mas comunica o que lhe acontece por outros meios: o choro, o sorriso, os movimentos corporais, etc. Ela já é gente. Já é Ser-aí. Desde a concepção, a criança já e um Ser-aí-com-os-Outros. Heidegger (2009) escreve:

> Se, de maneira totalmente elementar, presentificarmos para nós o modo de ser-aí de uma criança no primeiro momento de seu ser aí terreno, então nos depararemos com o choro, com o movimento agitado no mundo, no espaço, sem qualquer finalidade e, contudo, dirigido para... Ausência de finalidade não é desorientação, e orientação não significa estar voltado a uma finalidade. Ao contrário, orientação significa em geral estar-direcionado a..., estar-direcionado para..., estar direcionado para fora de... (p.131)

Heidegger (2009) afirma que a criança ao nascer não é um ser em si mesmo, não está totalmente encerrada em si. Para ele, o primeiro choro tem caráter de choque, do susto, de deparar com o novo, o estranho. Revela um ser surpreendido e desconcertado por algo sendo que o que a deixa perplexa ainda está velado. Mas o autor afirma que essa perplexidade já direciona para uma disposição de ânimo: "[...] o choque significa que o encontrar-se em uma disposição é perturbado, que entra em cena um desconforto, que deverá ser repelido" (HEIDEGGER, 2009, p. 132). A criança tem fome, chora, é atendida na sua necessidade e sai do desconforto. Desde o primeiro momento de vida, ela "já-está-fora-junto-a" um ente qualquer, ou seja, em relação com alguém. Apesar de não estar ainda na ordem da compreensão, mas na dimensão das sensações do incômodo e do desconforto, esse "estar junto a outro ente" já é vivenciado. Quanto a isso, Heidegger (2009) diz:

> Esse comportar da criança em relação a... ainda não tem uma finalidade determinada. O ser junto ao ente ainda está, em certa medida, envolto em nuvens, ainda não está aclarado, de modo que esse ser-aí ainda não pode fazer uso do ente, junto ao qual, de acordo com sua essência, ele já sempre se encontra. (p.132)

Esse estar em relação com o outro desde a concepção é crucial para a sobrevivência e o crescimento humano. Uma relação bem estabelecida que prioriza e prima pelo respeito e cuidado afetivo no encontro das singularidades existenciais promove o crescimento saudável. Proporciona à criança a possibilidade de individuação. Mas o contrário também é verdadeiro: a relação empobrecida por circunstâncias várias dificulta o desenvolvimento, podendo até interrompê-lo. A isto chamamos de adoecimento.

A decisão de trazer o filho ao mundo é dos pais. Espera-se que a responsabilidade de preparar o ambiente fértil para que ele possa florescer também seja deles. Na estranheza do novo a mãe se entrega ao filho com todas as suas competências e limitações, para que ele, apesar de suas precariedades (temporárias) emocionais, sensoriais e motoras, possa sentir-se aconchegado, seguro e entregar-se também na confiança original do acolhimento. É nesta relação íntima de mutualidade que o crescimento acontece. Winnicott (1983) sustenta que "[...] todo ser humano traz consigo uma tendência inata ao amadurecimento e à integração, a qual precisa de um ambiente suficientemente bom para realizar-se". Essa perspectiva também é compartilhada por Dias (2003), ao afirmar:

> Apesar de inata, a tendência à integração não acontece automaticamente, como se bastasse a mera passagem do tempo. Trata-se de uma tendência e não de uma determinação. Para que ela se realize, o bebê depende fundamentalmente da presença de um ambiente facilitador que forneça cuidados suficientemente bons. (p.96)

Winnicott (1983) chama de "cuidados suficientemente bons" a relação mãe e filho em que ambos desfrutam da sua originalidade humana. Por outro lado, "ambiente suficientemente bom" é aquele no qual pais e filhos têm a liberdade de vivenciar a sua tarefa mais original que é descobrir as suas possibilidades de ser no mundo. Podemos falar, aqui, de um diálogo genuíno, para além do verbal e do corporal, algo verdadeiramente humano.

Todo homem precisa do outro para ser si mesmo. O ser cresce na relação. Esse outro o acompanha, participa, mas não vive por ele. A existência imprevisível e singular segue um ritmo próprio. No caso das crianças os pais são os seus parceiros, mas não são os seus donos. A criança veio ao mundo através deles, mas, desde o nascimento, já é livre e "responsável"[1] desde que existe, afeta e é afetada pelo seu modo de estar no mundo. Ela necessita dos pais para acom-

---

[1] Assumir a determinação que se é. A responsabilidade como ter de ser é inerente a todo e qualquer ser-aí.

panhá-la na sua caminhada, mas não é propriedade deles. Ela tem muito deles, mas precisa se diferenciar criando o seu próprio "ser-si-mesmo". Necessita experimentar o mundo livremente em companhia do outro, para que possa descobrir o como e o que pode ser. O caminhar da existência nem sempre é fácil não é previsível não tem projeto prévio, é uma abertura de possibilidades e se dá num ritmo próprio para cada indivíduo. As solicitações do mundo muitas vezes distanciam o homem de si mesmo. Fazer as adaptações no mundo sem perder a sua pessoalidade é um dos desafios humanos.

A criança é gente como o adulto, o seu mundo é inteiro e tem para si um significado mesmo que não seja sempre compreensível ao adulto. Ela vive com os outros, brinca, fala, tem desejos, tem medos, sonha, tem fantasia, às vezes mente, é confusa e em outras se expressa com clareza e muita autenticidade. Compreende e vive o seu dia-a-dia como pode. É imediatista e vive a vida com grande intensidade. Ela mostra de imediato o que sente e o que quer. Muda de atitude rapidamente, vai sempre atrás do que mais lhe convém. O que é agora, minutos depois já não é mais. Briga com um amigo e em questão de minutos ele se transforma no pior inimigo, mas logo depois faz as pazes e ele volta a ser o melhor amigo, parecendo nunca ter acontecido a desavença por maior que seja aos olhos do adulto. O brinquedo que no momento serve para matar o inimigo, momentos depois pode ser uma ponte que auxilia os heróis a transpor um rio imaginário. Os brinquedos e os objetos transformam rapidamente na sua imaginação conforme a sua necessidade. Ela busca sempre o prazer e a satisfação imediata. Quanto mais nova a criança, mais intensa é a sua busca pelo prazer. Ela mostra com facilidade prazer e desprazer.

O tempo da criança é o agora, ela é imediatista. A cada situação nova, ela tem uma vivência particular do tempo muito diferente daquela do adulto que concebe presente, passado e futuro linearmente. Para a criança, o que está sempre em evidência é o presente. Passado e futuro estão no agora. O sentimento do imediato é que a faz viver com tanta intensidade, pois só há uma possibilidade de viver as coisas do mundo: no tempo presente. Por exemplo, quando ela tem uma festa para ir no dia seguinte, ela pode perguntar "hoje é amanhã?", numa demonstração de sua dificuldade em conceber outro tempo que não o agora, a espera lhe é dolorosa. Quanto mais nova, mais a espera incomoda. "É difícil para ela captar o hiato entre o hoje e o ontem e entre o hoje e o amanhã" (CYTRYNOWICZ, 2000).

Na experiência infantil, não há uma divisão equilibrada entre passado, presente e futuro. O viver da criança exacerba o presente e a força do imediato é tão grande que chega a abarcar toda a vida com a mesma intensidade. Ela vive a perda de uma boneca e a ausência da mãe com a mesma vivacidade. Quanto mais nova a criança, mais encurtado é o futuro. Como diz Cytrynowicz (2000):

> O futuro vai se descortinando na medida em que o passado vai surgindo juntamente às experiências e descobertas de "ter sido", quando também vão surgindo as lembranças, os aprendizados e a descoberta de ter que esperar. Assim é que o futuro é tão curto quanto o passado. O futuro da criança vai se abrindo na medida em que ela vai vivendo e crescendo, na criação de sua história. *Ter paciência e poder prever* são possibilidades que serão descobertas com a experiência da espera, isto é, de um futuro mais vigoroso. (p. 70, grifo do autor)

Cabe ao adulto, na co-vivência, no cuidado, ajudá-la a ampliar os seus recursos para compreender: "nem sempre posso tudo", "preciso esperar", "o mundo não é só meu", "preciso dividir e compartilhar", bem como o tempo das coisas. Somente a partir das experiências de ser frustrada no seu querer de ser atendida nas suas necessidades é que ela tem a oportunidade de experimentar e aprender as peculiaridades do viver-com. É no convívio com os outros além da família que a criança poderá criar o seu conceito de mundo e de si mesma. É nas vivências acompanhadas que ela reconhece suas possibilidades e impossibilidades na vida. Ter paciência, ficar insatisfeita, adiar a satisfação, são experiências descobertas e construídas no dia-a-dia com os outros (família, escola e sociedade).

O mundo para ela é desconhecido, ela é curiosa e desbravadora, tem fascínio pelas descobertas, pelo novo. Assim, experienciando e desbravando o mundo faz surgir o significado das coisas. É a partir do pegar, morder, caminhar, correr, chorar, sorrir, brincar, fantasiar, que ela apreende o mundo. Sua experiência se dá no agir. Experienciando o mundo, ela amplia a sua consciência, dando-se conta do outro do mundo e de si mesma. Assim, ela desenvolve ela cresce. Entre uma descoberta e outra, às vezes agradáveis, bem como desagradáveis e que a coloca em dificuldade, ou mesmo em apuros (como uma queda que resulta em dor), ela vai construindo o seu olhar para o mundo e acumulando saberes. Descobre o cuidar-se quando vivencia a dor do cair e do machucar-se.

Criança sofre, criança morre, ela perde coisas e pessoas. O sofrimento faz parte do modo de ser do homem assim como a alegria. Ele também se faz presente na vida da criança. Não tem como o adulto impedi-la de viver as mazelas da vida. A tentativa de fazê-lo presta um "desserviço" à criança, uma vez que o adulto a engana, omitindo a verdade. Ela se sente abandonada e desrespeitada, a confiança construída é danificada quando isso acontece. A superproteção (mesmo que bem intencionada) aprisiona e desqualifica a criança, inviabiliza ou retarda a relação dela consigo mesma, com o outro e com o mundo, gera um sentimento de menos valia de impotência e de medo de enfrentamento. Tanto o cuidado excessivo como o abandono (descuidado) restringem a liberdade de ser. A criança que é muito exigida ou aquela que é abandona à sua "própria sorte" que nada lhe é cobrado é vítima do adulto, fica prisioneira do mundo. Qualquer dos extremos, cuidado excessivo e abandono são comportamentos que adoecem, a criança vivencia com eles o desabrigo. Para ajudá-la crescer, o adulto precisa acompanhá-la no seu movimento de busca. Escutá-la com curiosidade, com a humildade do não saber. Ter o cuidado de escutá-la para além do pedagógico, estar disponível para aprender com ela. Afastar-se das atitudes reducionistas e autoritárias da educação – certo e errado, deve e não deve, pode ou não pode – , sem abandonar as construções de limites é uma atitude saudável. Limites bem colocados, bem definidos, são necessários orientam e cuidam da criança. Abrir-se para as possibilidades do partilhar da existência, respeitando a singularidade do mundo infantil é função do adulto.

6. O brincar

É comum escutarmos que brincar é próprio da criança e que falar é próprio do adulto. Isso não é verdadeiro, pois criança brinca e fala. O adulto fala, mas também brinca. Brincar e falar são modos existenciais de estar no mundo. São constitutivos do *Dasein*. Na infância, o brincar é a forma mais comum de expressão, em que a realidade aparece com toda a sua potência. Atuando no mundo com o outro a partir da brincadeira, a criança descobre as relações possíveis, criando na co-vivência a sua história.

Heidegger (2009) fala de "mundo como jogo da vida". A palavra "jogo" em alemão é representada pelo termo *Spiel*, o qual possui um amplo campo semântico, muito maior do que o significado do termo "jogo" em português. Os alemães utilizam a palavra *Spiel* para designar: brincar, brincadeira, o ato de tocar, o ato de representar em peças teatrais. Em português os termos "jogo" e o "brincar" têm sentidos diferentes. Quando falamos em jogo, pensamos em algo estruturado a partir de um conjunto de regras pré-determinadas para se chegar a um objetivo. Este não é o "jogo" a que Heidegger se refere. Quando ele diz "jogo da vida", refere-se a algo com um movimento próprio que se assemelha ao brincar infantil. O jogo é compreendido como transcendência, conforme afirma Heidegger (2009): "[...] a constituição fundamental do *Dasein* sempre se encontra de algum modo afinado em meio à abertura do ente homem na totalidade" (p. 335). Ele refere à transcendência como movimento (ontológico) que propicia ao ser-aí-no-mundo se conhecer e se compreender. Configura um encontrar-se-aí-disposto a si mesmo e ao outro em um movimento relacional livre que implica duas ou mais pessoas que criam vínculos enquanto desenvolvem algo. É um fazer que se estrutura enquanto acontece, é algo dinâmico com regras que vão se construindo à medida que o brincar acontece. "É estar-em-uma-tonalidade-afetiva, estar-afinado" (HEIDEGGER, 2009, p. 331).

"A palavra 'brincadeira' vem do latim *vinculum*, que tem sua origem no verbo *vincio, ire*, que quer dizer: ligar, atar, amarrar, prender, encantar e seduzir" (CYTRYNOWICZ, 2000). Pensando a partir desses significados, podemos entender o brincar como algo que liga, que amarra, que prende pessoas, que as seduz encantando. Ao apreciarmos crianças brincando entre si ou com o adulto fica claro: o envolvimento a sedução e o encantamento. Brincar é portanto, um modo de relação do humano e não apenas da criança. O brincar se dá na mutualidade, pois existe uma interação original natural. Para que aconteça, as pessoas envolvidas sintonizam-se na alegria, no prazer, e as regras vão se criando no acontecer. "Nesse acontecimento o agir e o fazer não são essenciais. Antes de tudo decisivo no jogar é justamente o caráter específico do estado, o modo peculiar de "encontrar-se-aí-disposto", como sustenta Heidegger (2009, p.332). Esse jogar praticamente cria para si mesmo, a cada vez, o espaço no interior do qual ele, o brincar, pode se formar e se transformar. Brincar sempre preserva a liberdade de poder representar e realizar de modo original o ser-aí.

Quando Heidegger (2009) se refere a "jogo da vida" como o movimento do existir, diz do ser-aí jogado no mundo precisando construir-se a partir da sua dinâmica existencial. É no viver a vida no cotidiano do mundo com o outro que o homem vai se criando enquanto cria o seu mundo. Ele faz ajustamentos criativos às suas necessidades de ser-no--mundo-com-o-outro. Ele carrega consigo a originalidade da existência, a tendência e o desejo de crescer de descobrir a si e ao mundo. No entanto, o caminhar pela vida acontece na relação que pode aproximá-lo ou distanciá-lo de si mesmo. A energia desbravadora e a curiosidade da criança são necessidades inerentes que vão crescendo a cada instante em movimentos constantes quando a criança é respeitada e encorajada a buscar o mundo, pois cada experiência nova é um aprendizado que abre possibilidades para tantas outras. Mas o contrário também é verdadeiro: se ela for drasticamente repreendida nas suas buscas, privada de brincar ou desacreditada, ela pode retardar ou paralisar o crescimento.

Na vivência do brincar, a intensidade e o envolvimento se fazem presentes. A criança se entrega por inteiro na liberdade de fazer, desfazer, imaginar, construir, desconstruir, ao ser um super-herói, ao ser um monstro e logo depois o cordeiro, ao ser o lobo que faz maldade e logo depois ser a menina que se esconde e se aterroriza com a possibilidade de ser destruída pelo lobo. Ela experiencia as possibilidades contraditórias da existência: o ser e o não ser, o poder e a submissão, a força e a fraqueza, o medo e a coragem, as possibilidades e as impossibilidades do momento, o querer e o não poder. Ao brincar, a criança vive a realidade de maneira mais suave e segura, ela se apodera do mundo e de si mesma. Ao fantasiar o já vivido, ela tem a possibilidade de modificar o real, abrandando o sofrimento ou intensificando a satisfação. Isso pode ser chamado de "sabedoria organísmica", a criança maquia ornamenta ou destorce os acontecimentos da vida através da fantasia e da representação. Essa é uma maneira de ganhar tempo para digerir e elaborar os fatos acontecidos. Como defende Ribeiro: (1998) "é o movimento do sábio interno". Para Heidegger (2009), é o "cuidado constitutivo do ser". Nessa liberdade de poder ser e viver as contradições da vida de maneira lúdica, ela se fortalece, se percebe e vai configurando a si e ao mundo de forma mágica e maravilhosa. Ela se descobre no mundo com o outro se experimentando no seu modo peculiar de viver a vida, "brincando". Assim, podemos dizer que o brincar favorece o crescimento: "brincadeira é coisa séria".

Porém, ainda que a criança se desenvolva brincando, suas experiências existenciais são insuficientes, ingênuas e precárias para que conheça as nuanças da vida, pois elas são novas em um mundo já existente, mas desconhecido. Quando dizemos nova, não queremos dizer incapazes, mas apenas que o seu horizonte de mundo está encurtado pela pouca vivência, apesar de trazerem consigo todas as características e possibilidades humanas. Por esse motivo, elas necessitam ser acompanhadas pelos adultos orientando-as, mas também acreditando nas suas possibilidades. A educação, portanto, deverá ser co-participada considerando a perspectiva da criança assim como do adulto, visando à ampliação da consciência para que a criança desenvolva o seu autocuidado, aproximando-se de suas verdades e apropriando-se da sua história.

Como dito acima, o brincar é algo constitutivo do humano, configurando-se como algo sério e saudável. É utilizado no contexto da psicoterapia para resgatar a saúde das crianças que chegam ao consultório em sofrimento existencial por diversas razões. Ele faz parte do processo psicoterápico infantil como um acontecimento livre e natural facilitador da confiança e da intimidade, requisitos básicos indispensáveis para uma psicoterapia infantil.

7. O processo psicoterapêutico com a criança

A palavra "psicoterapia" deriva do grego *therapeia*, que significa método de tratar doenças, e de *psyche*, cujo sentido etimológico refere-se à alma como "sopro de vida". Segundo o *Dicionário Aurélio* (2010), psicoterapia significa "[...] aplicação metódica de técnica psicológica determinada para restabelecer o equilíbrio emocional perturbado de um indivíduo".

Entretanto, a psicoterapia fenomenológico-existencial preocupa-se com o equilíbrio emocional do indivíduo, não usa "técnicas metódicas", não propõe que os comportamentos perturbados sejam extintos e nem afirma que sejam uma doença, mas sim um modo do indivíduo ser no mundo em um determinado momento. Ela não está voltada para fatos objetivos da realidade, para o acontecer em si. O seu interesse está voltado para o "como" os fatos da existência são experienciados, significados e vivenciados pelo homem.

Seu interesse está no "como" os fatos são vivenciados pelo paciente, que sentido têm para aquela determinada existência. Podemos, portanto, definir psicoterapia nesses moldes como um processo relacional que assume a forma de um "encontro" (relação genuína de intimidade e de confiança) entre pessoas – cliente e psicoterapeuta. Com um projeto comum no qual o psicoterapeuta acolhe e apoia o cliente na sua forma de estar no mundo para que ele nas suas possibilidades possa se reconhecer como pessoa. Visa, portanto, ao restabelecimento do autossuporte. Espera-se que o paciente possa reaproximar-se de si mesmo sentindo-se livre e responsável pela construção da sua história. Conforme afirma Rúdio (2001, p.34), "[...] espera-se que o paciente possa assumir um processo de existência percebida por ele como produtiva para si e para os outros, satisfatória e realizadora das potencialidades que possui".

É frequente escutar que na abordagem fenomenológica existencial não se faz diagnóstico. Isto não é verdadeiro. Não é realizado o diagnóstico convencional, ou seja, não se pesquisam as causas da doença, não há uma preocupação em classificar e nomear o sintoma. O olhar é outro, ele é investigativo sempre. Procura-se descrever o modo de ser da pessoa do cliente no mundo, na tentativa de entender as razões particulares das suas atitudes. Esse olhar investigativo é permanente e se dá ao longo de todo processo psicoterápico. O olhar não é mais dirigido para doença: busca-se a singularidade da criança que se apresenta com o sintoma. É uma pesquisa permanente do modo existencial da criança visando à compreensão das suas relações significativas nas articulações com o mundo. O diagnóstico é processual, ele vai se constituindo durante todo o processo psicoterápico. A partir desta perspectiva, as intervenções clínicas não decorrem do sintoma, mas da vivência relacional no *setting* terapêutico, a compreensão das possibilidades especiais particulares de cada criança, advindas da relação de confiança e de intimidade estabelecida com o psicoterapeuta. O poder e o saber migram do psicoterapeuta para a pessoa do cliente, ele é quem mais sabe de si, mesmo que não se saiba saber. No caso, é a criança quem conduz e escolhe os brinquedos, o como brincar, sobre o que brincar e o que falar. O psicoterapeuta é apenas o acompanhante disponível. Uma disponibilidade de cuidar acreditando que o outro (a criança) sabe de si. A confiança na possibilidade de ser e a liberdade de ser é o ponto primeiro do encontro. O terapêutico é a relação estabelecida entre eles caracterizada pela presença cuidadosa, genuína, daquele que recebe (psicoterapeuta) e da criança que chega, do modo como ela chega. Fica a cargo do psicoterapeuta facilitar a abertura do espaço em que os seres-aí se encontram num movimento contínuo de velar e de desvelar. Não há neutralidade, tanto a criança quanto o psicoterapeuta são afetados pela relação.

O adulto, que um dia foi criança e hoje não o é mais, se despoja a serviço da criança, colocando-se no lugar dela para encontrá-la na sua existencialidade temporal, espacial, corpórea e afetiva. Na liberdade do contato, na aceitação, na confirmação, o modo de ser da criança aparece. São esses os instrumentos que o psicoterapeuta tem para auxiliá-lo a ampliar com a criança o horizonte existencial que possibilitará maior consciência de si mesma no mundo.

O cliente adulto, quando busca terapia, o faz por vontade própria. Sente-se, na maioria das vezes, desanimado e desinteressado pelas coisas da vida. Suas experiências no mundo com os outros deixam de lhe serem familiares. Uma estranheza passa a fazer parte de sua vida, ele é tomado por medos, dúvidas, irritabilidade, angústia e ansiedade. Esses sentimentos lhe trazem muito sofrimento. Ao conscientizar-se da sua dor, busca ajuda profissional. Ele sabe do que precisa, busca e escolhe o psicoterapeuta por vontade própria.

Com a criança o movimento é diferente. Ela raramente chega por si só ao consultório do psicólogo. Está sofrendo e, em consequência, está atuando no mundo de forma desarmoniosa, mas quase sempre não se reconhece assim. Na maioria das vezes, é levada pelas mãos do adulto e quase nunca sabe porquê está ali e nem o que irá fazer. Não sabe o que significa psicoterapia, tampouco qual é o ofício de um psicólogo e como ele vai lhe prestar serviço. As queixas trazidas pelos adultos não têm para ela significado e nem grande importância. Em alguns momentos, quando é perguntado por quê está ali, responde: "Não sei, meu pai me trouxe". Começa, portanto, aqui, seu primeiro desafio: ela não sabe por quê está ali, mas sabe que há algo errado. Às vezes, começa aqui a experimentar um sentimento de inadequação e de não ser aceita. Mas não sabe o que fazer e não sabe portar-se diferente, pois esse é o seu jeito de ser no momento, e isso gera muito sofrimento.

O adulto que traz a criança à terapia tem as suas razões e as suas expectativas. Ele também é cliente. A decisão foi tomada a partir de situações insustentáveis, conflitantes, geradas na família, escola e sociedade por comportamentos que os adultos perceberam como inadequados. Há sofrimento por parte deles e da criança. Existe uma urgência. O sofrimento fica insuportável, pois também remete os pais, em muitas ocasiões, aos seus próprios sofrimentos, aos seus fracassos e à sua impotência em lidar com o outro que ele ama muito e pelo qual se sente responsável. A inadequação ou o sofrimento dos filhos pode despertar nos pais também um sentimento de culpa, é comum eles se perguntarem: "Onde foi que eu errei?". Chegam ao consultório paralisados, desnorteados, como se perdessem "o fio da meada", sobretudo acerca das questões que envolvem educação e convivência. Desconhecem o que fazer, já que todo recurso usado não foi eficaz. Eles também estão adoecidos, mas nem sempre percebem. Transferem responsabilidades, medos e angústias diante da tarefa de educar para o psicólogo e outras vezes para o filho, a quem percebem apenas como "doente". Carregam consigo a urgência do mundo e querem se livrar rápido do sofrimento esperando que os sintomas sejam eliminados num "passe de mágica". Reivindicam uma garantia de conserto como se a criança fosse um objeto passível de reparos (não gritar, não irritar, não bater no irmão, não ser reprovado na escola, enfim, ser "bonzinho"). Imaginam e criam expectativas de que a ida ao psicólogo devolverá a paz perdida. Querem de imediato recuperar o poder e a competência do educar perdidos no dia-a-dia das relações. Falam sempre: "Educar não é fácil, eu não sabia que era tão difícil"; ou "Nunca pensei que essa criatura tão pequenina me desafiasse e me deixasse sem saída; percebo que estou parado no mesmo lugar, os recursos que tenho não me são suficientes para educá-lo"; ou, ainda, "Está tudo errado! Quero ajuda!".

Nessas situações, ambos, filhos e pais, precisam de ajuda profissional, sendo todos "clientes". O contexto familiar se desestabilizou. Torna-se, então, necessário acolhê-los no seu sofrimento. Porém, os pais precisam compreender a proposta do processo psicoterapêutico e aprender lentamente, a partir dos diálogos com o psicoterapeuta, a dirigir outro olhar para o filho. Emerge o desafio de desconstruir verdades aprendidas e fixadas com os seus antecessores, através da cultura e da convivência cotidiana na sociedade. Assim, o psicoterapeuta precisa ficar atento para não repetir o mundo e não se comprometer com a visão mecanicista, advinda da sociedade capitalista, imediatista, na qual as palavras de ordem são objetividade, pressa e controle. Em outras palavras, o psicoterapeuta não pode e não deve sucumbir à urgência dos pais. O foco é o Ser da criança e o Ser da família. Faz-se necessário dizer "não", ao modismo contemporâneo e atentar para o fato de que, ao prestar serviço à criança, presta-se serviço também à família. Com isso a dinâmica familiar já estabelecida é alterada mesmo que não seja eficaz no momento, mas precisa ser considerado o fato de que essa dinâmica tumultuada está sendo a única maneira possível de interação familiar. Por isso, o trabalho do psicoterapeuta é delicado, artesanal e precisa ser feito aos poucos, preservando os limites e as características de cada membro familiar e da família como um sistema.

Assim, o primeiro contato do processo psicoterapêutico infantil é com o adulto que buscou a assistência. Precisamos acolhê-lo para identificar os motivos que o levaram até o consultório e esclarecer o que ele busca. Essa entrevista inicial é livre é o momento em que o psicoterapeuta começa a familiarizar-se e a conhecer a demanda dos pais e as necessidades da criança. É o momento de conhecer o ambiente em que ela vive, como os pais a percebem e o que os incomoda, conhecer a queixa que é além do sintoma. Mas é necessário ficar atento, pois a história da queixa não é a história da criança. A queixa é apenas a maneira como a criança apresenta-se no momento. Podemos dizer que ela é apenas um sinal, um grito de alerta, "não estou bem", é um pedido de "socorro". O importante é pesquisar minuciosamente com os pais o significado da queixa, desde quando a criança apresenta o sintoma e como a família vivencia o problema. Precisa-se compreender o cotidiano familiar com suas histórias.

Nessa primeira entrevista, o olhar do psicoterapeuta deverá ser clínico e ir para além da queixa apresentada pelos pais. O importante não é colher dados nem saber as causas do comportamento. Precisa-se buscar esclarecer os acontecimentos significativos, os mais evidentes. Dessa forma, alguns questionamentos pertinentes fazem-se necessários: desde quando a criança apresenta o comportamento que incomoda os pais: quando e como ele aconteceu ou acontece; quais e como são as reações dos pais, dos avós, da escola e das pessoas que convivem com a criança; como o adulto percebe o cotidiano da criança e da família; quais são as expectativas dos pais na relação com ela; como é o seu sono e sua alimentação; como brinca, do que mais gosta e do que não gosta; como é a sua rotina, o seu humor; como reage a frustrações, etc. Assim, pesquisa-se a existencialidade da criança no seu contexto. A intenção do psicoterapeuta é conhecer o mundo no qual a criança vive e compreender a dinâmica familiar, para depois conhecer a criança. Nesse primeiro momento, busca-se fazer um "mapeamento", compreender a queixa a partir de uma primeira descrição da forma como a criança e os pais articulam os seus mundos.

Após a pesquisa com os pais buscando situar a queixa. passa-se ao encontro da criança. Para encontrá-la no seu mundo é preciso abster do olhar e das necessidades dos pais. É preciso também atentar para o desejo de resolver problemas e "mostrar serviço", não é esse o objetivo da psicoterapia. Não é proposta da psicoterapia fenomenológico-existencial resolver problemas como se estivesse "apagando fogo". O objetivo psicoterapêutico é que a criança possa aproximar-se de si mesma, apesar de estar sob a tutela e companhia dos pais.

Como dito anteriormente, a criança, na maioria das vezes, não sabe os motivos de estar ali. Algumas entram no consultório com facilidade à vontade, outras são muito retraídas, podendo até se recusar a entrar sozinhas. Nesse caso em que a criança se nega a entrar no consultório é necessário compreendê-la e esperá-la no seu tempo. Se for preciso, atendê-la durante algum tempo na sala de espera ou permitir que entre acompanhada, ou certificá-la de que os pais a esperam e, se necessário, deixar a porta aberta. O espaço é novo e o psicoterapeuta desconhecido. Essa situação pode gerar ansiedade. A criança precisa ter o tempo necessário para se acostumar com o novo. Ela precisa compreender o que fará naquele espaço, qual é a proposta dos pais e a do psicoterapeuta. A compreensão do que é uma psicoterapia pode surgir na primeira sessão, mas pode também demorar algum tempo, equivalente ao que acontece com o estabelecimento do vínculo terapêutico.

A criança quase nunca explicita o sintoma que a trouxe ao consultório, às vezes por não o saber, ou porquê lhe traz sofrimento. Como ela sempre busca o prazer, é comum evitar falar claramente da dor, mas nem por isso deixar de vivê-la. Ela atua no ambiente: agride, invade, chora, faz pirraça, evita se alimentar, tem dor de barriga, segura "xixi", desenvolve encoprese ou enurese, mas não sabe porquê isso acontece. Algumas não reconhecem sua angústia e tristeza, apenas as vivenciam sem compreender. Frequentemente, expressam atitudes opositoras, agressivas, falam através do corpo, atuam no ambiente mais do que falam. A criança vive intensamente cada momento e cada brincadeira proposta. A intensidade da alegria e a mesma do sofrimento. Sua ação pode representar claramente o seu mundo, camuflá-lo ou distorcê-lo. O psicoterapeuta, mesmo reconhecendo o seu movimento de distorção do mundo, como, por exemplo, a mentira, não tem o direito de desconfirmar ou desautorizar a criança corrigindo ou confrontando. Ele precisa compreendê-la para além da ação, e reconhecer que esse comportamento é o único possível no momento, sendo este o recurso que a criança tem para se defender da dor, do desabrigo. Esta é uma tendência natural do homem. O respeito, a aceitação e o acolhimento são os recursos de que o psicoterapeuta dispõe para aproximar-se da criança na tentativa de que ela possa examinar e perceber suas atitudes, pois só compreendendo como agiu e quais os sentimentos implicados aí ela poderá reexaminar o seu modo de estar-no-mundo criando um jeito novo e próprio de ser.

A proposta fenomenológica é de abertura e de busca pelo sentimento original de ser da criança a partir da relação genuína, como mencionado anteriormente. Portanto, não cabe ao psicoterapeuta o direito de interromper e nem desviar a criança da sua busca. Ele só pode acompanhá-la cuidadosamente na liberdade do brincar para que ela possa, no seu ritmo, experimentar outras formas de vivenciar a sua dor, sua raiva, sua tristeza. Assim sendo, a postura do psicoterapeuta deve ser sempre de confirmação, de aceitação e de reflexão, acreditando na capacidade da criança de descobrir por si mesma, na parceria, o significado das suas vivências na presença acolhedora e respeitosa do outro.

Em uma situação clínica, um paciente de nove anos, que vivia em uma família de classe média alta, formada por pai, mãe e irmã mais nova, chegou ao consultório para iniciar um processo de psicoterapia. A família desfrutava de uma vida tranquila, até que o pai sofreu um surto psicótico e teve que ser internado várias vezes em hospital psiquiátrico. Após um ano e meio, os pais se separaram. A criança apresentou baixo rendimento escolar, retraimento na escola e parou de falar com os colegas. Falava somente com os professores quando solicitado. No horário do recreio dirigia-se para a biblioteca, onde lia durante todo o tempo de descanso. Recusava-se a brincar. Quando solicitado a desempenhar alguma função na escola, queixava-se de enjoo e de dor abdominal. Visitava a enfermaria da escola pelo menos uma vez a cada semana. Aceitou a psicoterapia logo que a mãe sugeriu.

Na primeira sessão, falou que não gostava de conversar e que não queria falar sobre o motivo de estar ali. Apenas perguntou: "Minha mãe não lhe falou?". Confirmei que sim, e perguntei se ele poderia me falar do seu jeito. Ele disse que não queria, pois não gostava de falar. Eu concordei e perguntei se gostaria de fazer alguma coisa. Ele foi sucinto e disse apenas: "brincar". Apresentei a sala e ele ficou à vontade, pegou a caixa de Lego e começou a montar carros, aviões e tanque de guerra, em silêncio. Ao terminar de montar, simulou uma guerra em que todos os objetos eram destruídos e alguns bonecos morriam, outros fugiam, outros ficavam vivos. Essa brincadeira durou mais ou menos quatro meses. Quando simulava a guerra falava baixo e eu escutava poucas palavras. O que ficava evidente era a destruição. Durante a montagem solicitava a minha ajuda para procurar alguma peça que faltava. A cada dia que passava solicitava um pouco mais a minha ajuda. No momento da guerra, às vezes levantava a vista e olhava para mim parecendo querer confirmar se eu estava presente observando. Em outras ocasiões esboçava um sorriso. Durante este tempo fiz encontros com a mãe. Ele era comunicado cada vez que eu encontrava com ela. Perguntava se queria participar e ele dizia que não. Após os encontros com a mãe, eu lhe perguntava se queria saber sobre o que havíamos falado e ele também dizia que não. No terceiro mês de encontro com ela, ele quis saber sobre o evento. Falei e ele me escutou atentamente. Uma das coisas que falei foi que ela havia me dito que ele estava mais alegre. Perguntei se ele reconhecia isso e ele balançou a cabeça afirmativamente. Após o quarto mês de encontros, ele mudou de brinquedo, passou para os jogos estruturados e me convidava para jogar. Assim foi crescendo e, após um ano e meio de encontros semanais, ele anunciou que iria parar a psicoterapia, pois estava se sentindo bem e não precisaria mais retornar aos encontros. Fez uma avaliação do processo e me disse: "O que mais gostei aqui foi que quando eu brincava com o Lego você não me perturbava. Você foi a pessoa que não me pediu para falar quando eu não queria falar". A criança não é como o adulto, não precisa necessariamente falar do que a incomoda. Ela precisa de um espaço onde se sinta respeitada, amparada para viver as suas fantasias. O importante nesse processo foi minha presença humana, e não como psicoterapeuta. Não apenas uma presença física, mas interativa e cuidadosa, a qual, por si só, é acolhedora e respeitosa. A criança contou todo o tempo comigo, a confiança foi crescendo e se consolidando e a intimidade foi aumentando. A cada dia ele falava mais, e passou a me convidar sempre a participar das brincadeiras. Quando ganhava no jogo, sorria e me desafiava, convidando para outra partida. À medida que ele confiou em mim percebendo a parceria sem projetos e a atitude respeitosa, aumentou sua confiança em si mesmo. Nas últimas sessões, desfrutava da liberdade de "poder-ser", arriscava mais nos jogos e falava com destreza. Na escola, passou a participar de todas as atividades.

A criança é imediatista, deseja tudo na hora e do seu jeito, não quer ser contrariada. Se a atividade lhe proporciona prazer, tem dificuldade em interrompê-la. Quanto mais nova, mais difícil fica para aceitar limites. Os limites do ambiente terapêutico são estabelecidos na proporção em que vão surgindo os conflitos na relação criança/psicoterapeuta. É importante que eles sejam colocados a partir de um diálogo por meio do qual o psicoterapeuta e a criança possam expressar os seus argumentos, os seus incômodos, os riscos, etc. A rotina e a frequência devem ser combinadas com a criança e com os pais, o horário deve ser cumprido por todos os envolvidos no processo psicoterapêutico.

O atendimento à família é parte desse processo e não segue critérios pré-estabelecidos. A frequência e a forma de atendimento variam caso a caso. Quando necessário, são realizadas sessões familiares. Acontece conforme necessidade da família ou do psicoterapeuta. Esses atendimentos seguem um modelo também reflexivo, mas, às vezes a situação requer condutas mais diretivas e esclarecedoras com os pais. As intervenções com os pais são na maioria das vezes reflexivas, mas podem ser didáticas, esclarecedoras e educativas, conforme a necessidade de cada sistema familiar.

O espaço terapêutico deve ser confortável o suficiente para a criança movimentar-se. Deve ser bem iluminado, limpo, com poucos móveis e adequados ao estilo infantil, para que não ofereça risco de acidentes. O material lúdico deve ficar em lugares acessíveis para que a criança possa usá-los com facilidade. Como afirma Aguiar (2005, p.227). "Os critérios básicos para a escolha dos recursos lúdicos são: segurança e relevância para a tarefa terapêutica". Ou seja, os brinquedos devem ser de boa qualidade e atóxicos, garantindo a segurança das crianças. Devem estimular a criação, a representação, o compartilhar, o competir e o fantasiar. Um ambiente lúdico próximo ao ideal deverá conter três categorias básicas de brinquedos: os estruturados, que contém regras pré-estabelecidas como jogos; os semiestruturados, que remetem a criança ao seu dia a dia, como casa de bonecos, carros, mamadeira, fantoches, lego, play mobile, etc.; e, por fim, os não-estruturados, material que possibilita à criança criar, como caixa de sucata, argila, massa de modelar, tinta, lápis, cola colorida, papel de várias cores e textura, retalhos de panos etc. Lembramos que não são apenas recursos materiais que facilitam o encontro, pois a criança não precisa necessariamente de brinquedo para brincar. Qualquer objeto pode se transformar em algo lúdico. O mais importante no espaço psicoterapêutico é a relação de afinação do psicoterapeuta com a criança. Isso é o que possibilita a formação do vínculo, o desenvolvimento da confiança e da intimidade, que viabiliza a libertação das possibilidades próprias do existir.

8. Considerações finais

No processo psicoterapêutico, fica evidente que mesmo "só brincando" as crianças apresentam crescimento da autoconfiança, abrandamento da irritabilidade, aumento da assertividade, desenvolvimento da capacidade de fazer escolhas e de se responsabilizarem por seus atos. As pirraças e as mentiras, queixas frequentes dos pais, abrandam. Elas ficam mais alegres, mais confiantes, e desenvolvem a confiança no seu querer, ficando mais livres para dialogar com o adulto e se posicionarem no mundo. É comum que, após algumas sessões, às vezes muito poucas, os pais dizem que as crianças se mostram mais felizes e mais donas de si mesmas. Mas também é habitual eles dizerem que a criança está mais difícil, pois começa a questionar e a confrontá-los nas suas decisões educativas. Elas ficam mais firmes nas suas escolhas, argumentam e solicitam explicações convincentes para os "nãos" da educação. Isso normalmente é interpretado pelos pais como desrespeito e falta de educação. E, para nós psicoterapeutas, representa um progresso do processo, pois é a criança recuperando sua saúde e fortalecendo sua perspectiva de mundo.

Em síntese, o brincar na perspectiva fenomenológica foi considerado como uma experiência que desperta e liberta a criança para o mundo. A possibilidade de experienciar o mundo do seu jeito acompanhado por um adulto, o psicoterapeuta, compreensivo, acolhedor, respeitoso, proporciona para a criança a oportunidade de se reconhecer responsável pela sua existência. A liberdade para expressar-se através do brincar na companhia do adulto receptivo comumente já é suficiente para proporcionar efeitos terapêuticos, tais como o reconhecimento de si e o amadurecimento de seu senso de eu, e do seu autossuporte.

É importante salientar também que a criança não tem tanta necessidade de elaborar verbalmente suas percepções e vivências como o adulto, pois isso se dá através da brincadeira. Porém, esse brincar é completamente diferente daquele que acontece em outros contextos, pois trata de um "brincar-em-relação" com a pessoa do psicoterapeuta, que naquele momento se volta inteiramente para a perspectiva de estar incondicionalmente disponível ao outro, que no caso é a criança. Vale lembrar que as perspectivas de mundo são diferentes, mas a possibilidade de encontro humano é preservada à medida que o terapeuta reconhece a criança como um ser-aí, um estar-sendo, na sua peculiaridade infantil.

Referências

AGUIAR, L. *Gestalt-terapia com crianças*: teoria e prática. Campinas: Editora Livro Pleno, 2005.

CYTRYNOWICZ, M. B. O tempo da infância. *Daseinsanalyse*, n. 9, p. 54-73, 2000.

DIAS, E. O. *A teoria do amadurecimento de D. W. Winnicott*. Rio de Janeiro: Imago, 2003.

FERREIRA, A. B. de H. *Dicionário Aurélio Básico da Língua Portuguesa*. São Paulo: Editora Positivo, 2010.

HEIDEGGER, M. *Introdução à filosofia*. São Paulo: Martins Fontes, 2009.

POMPEIA, J. A.; SAPIENZA, B. T. *Os dois nascimentos do homem*. Rio de Janeiro: Via Verita, 2011.

PONTY, M. M. *Psicologia e pedagogia da criança*. São Paulo: Martins Fontes, 2006.

RIBEIRO, W. *Existência e essência*. São Paulo: Summus, 1998

RUDIO, V. F. *Diálogo maiêutico e psicoterapia existencial*. São Jose dos Campos, SP: Novos Horizontes, 2001.

WINNICOTT, D. W. *O Ambiente e os processos de maturação*: estudos sobre a teoria do desenvolvimento emocional. Porto Alegre, RS: Artmed, 1983.

Depressão: um mal do ser humano... em todos os tempos

Saleth Salles Horta

Sempre existiu a depressão, um conjunto de sintomas que compõem a chamada "enfermidade psíquica", pelos antigos denominada Melancolia: negatividade, culpa, medo, insônia, falta de apetite, um vazio existencial, uma dor profunda, quase impossível de ser definida pela própria pessoa que a sente. Se a depressão sempre existiu, o que a levou a atingir índices tão altos na atualidade? O que é diferente no modo de ser, de pensar e agir no viver humano?

Segundo Moreira e Sloan (2002, p. 190): "Os dados sobre o índice epidêmico de depressão no mundo contemporâneo são avassaladores e nem mesmo o Brasil, o assim chamado país do carnaval, escapa dessa doença que ataca mais e mais seres humanos no mundo inteiro"... matando as pessoas em vida!

A virada do século foi esperada, comemorada e idealizada por muitos como uma promessa de tempos melhores. No entanto, a vida continua. Vivemos um momento de avanços tecnológicos vertiginosos, o que é fantástico em nossas vidas! O mundo globalizado trouxe tantas vantagens em diversas áreas, como nas comunicações, por exemplo: longe é um lugar que não existe mais!

Mas o mundo foi globalizado tem também muitos aspectos negativos, como a depressão, que se desenvolve a partir do interno, mas muitas vezes é um sintoma social. Por exemplo, a violência, que antes acontecia nas grandes cidades, atualmente ocorre em qualquer parte, mesmo nos lugarejos mais pacatos, tirando a tranquilidade de todos. Muitas pessoas vivem em total insegurança e fazem de suas casas verdadeiras prisões. A violência tornou-se uma realidade incontrolável! Nosso país se caracteriza pelas diferenças sociais, culturais, econômicas. O desemprego deixou de ser uma ameaça para ser um fato. Nossas crianças não mais podem brincar livremente, pois estão sobrecarregadas de tarefas, tolhidas em sua liberdade de viverem o momento lúdico normal da infância. A solidão já faz parte de suas tenras vidas. Pais estressados, lutando pela sobrevivência da família, com pouco ou nenhum tempo de dedicação aos filhos, cheios de culpa, acabam pecando pela falta de limite, de presença, de amor.

O adolescente está sem confiança, sem esperança, sem estímulo para batalhar, com medo de crescer e enfrentar a vida. Muitas vezes, a dificuldade de escolher uma profissão e o ingresso nas Universidades têm sido desanimador e frustrante para muitos. É cada vez maior o número de jovens que se entregam ao uso de drogas, seja por falta de opção, seja por buscarem pertencer a um grupo, ou para fugir do próprio viver. O acesso ilimitado às informações, à tecnologia e à mídia de modo geral, atua diretamente na formação do adolescente, exposto a excesso de estímulos. Mas ele ainda não tem capacidade de discernimento crítico daquilo que lhe é prejudicial, o que provoca interferência na formação de sua personalidade, no desempenho escolar, relacional e social. Segundo a Organização Mundial de Saúde (2017), em todo o mundo, cerca de 10% de crianças e adolescentes sofrem de transtornos mentais, como depressão, ansiedade, síndrome de pânico e bipolaridade. Muitos se automedicam com drogas e abuso do álcool, numa tentativa de lidar com o estresse e baixa de autoestima. Passam maior parte de seu tempo trancados no quarto, no uso excessivo de internet, computador ou celular, em redes sociais. Não recebem limites, direções ou valores adequados.

Os adultos procuram incessantemente uma saída para as suas frustrações, tentam construir um futuro melhor, enquanto projetam uma aposentadoria. O que significa ser aposentado em nosso país? São poucos os que conseguem uma renda suficiente para um viver decente, quando já não puderem mais produzir. Não bastassem as preocupações com o "agora", o futuro se constitui em outra grande e constante ameaça. Quantas pessoas se deprimem já ao iniciar o período de aposentadoria!

Enfim, em qualquer fase da vida, o ser humano está em estado de excitação, ansiedade e "estresse", muitas vezes se torna um autômato ansioso sem sequer saber disso. A solidão é também outro problema do homem moderno. Sofrimento que acompanha a incapacidade de comunhão, produto do fracasso nas convivências. Não há energia nem tempo para as relações. Solidariedade não mais está fazendo parte da vida humana. Cada um por si. As pessoas só se comunicam, mas não se relacionam de fato. Um exemplo disso são as comunicações através do computador dentro de uma mesma sala de trabalho, quando um colega faz perguntas ao outro, à sua frente, por mensagem, perdendo talvez a única oportunidade para falar e ter contato com alguém naquele dia. E volta para casa, onde continua em silêncio, ou diante de um computador, ou de uma televisão, mas só, mesmo tendo pessoas por perto. Nas redes sociais, numa velocidade incrível, todos sabem de tudo e de todos... A rede da exposição, para muitos da inveja e da solidão. Compartilhar do sucesso do outro e se sentir só. E assim são todos os dias. E assim vivem muitas pessoas... o que consuma a solidão e o vazio existencial do homem moderno. Negativismo? Realidade? Nunca se falou tanto em livros de autoajuda. O ocultismo tem sido uma saída para aqueles que buscam na espiritualidade ou nas "forças invisíveis", uma explicação ou esperança. Alguns medicamentos antidepressivos foram conhecidos por muito tempo como "drogas da felicidade". Hoje, são muitas outras drogas assustadoramente usadas, às vezes até sem indicação médica. As psicoterapias são mais procuradas para "resolução de problemas" do que mesmo para autoconhecimento ou análise existencial. As terapias alternativas, ou grupos de assistência gratuita, têm conseguido mais sucesso, porque oferecem a ilusão de soluções imediatas.

São essas pessoas os clientes que nos procuram hoje: solitários, sofridos, perdidos em seus conflitos, deprimidos, ansiosos, muitas vezes desesperados. A depressão passou a ser um mal que acomete crianças, jovens adolescentes, adultos e também idosos; velhice já não é mais sinônimo de paz. Infância já não é mais sinônimo de alegria!

O que seria então a depressão? Seria uma saída, uma forma de enfrentar ou de não enfrentar os "problemas"? Seria desespero? Seria a perda de referência existencial? Seria uma falta de solução? Seria uma doença?

1. O que é a depressão?

A depressão é definida como falta de sentido, um vazio que caracteriza a vida do homem em todos os tempos. Para Moreira e Sloan (2002), "[...] a depressão tem sido associada ao individualismo, à falta de sentido, quando as pessoas trabalham e não sabem por que trabalham, vivem e não sabem para que viver, pois atuam de forma automática." (p. 202). A psicopatologia clássica classifica a depressão em:

a. Depressão psicótica, que ocorre nos transtornos bipolares, na esquizofrenia, na psicose puerperal e outras.

b. Depressão enquadrada no campo das neuroses, causada por um desequilíbrio nas concentrações de algumas substâncias no cérebro (EY, BERNARD e Brisset, 1980). Ainda nessa classificação, são consideradas três modalidades: leve, moderada e grave.

A depressão é caracterizada também pela psicopatologia clássica como exógena, quando se trata de uma depressão reativa breve, pós-traumática, ou seja, que ocorre diante de perdas significativas. Por exemplo, em caso de morte de um parente, aborto, separação da pessoa amada, e outras situações traumáticas que provocam muita dor. Por ser uma depressão reativa breve, não significa ser leve. Muitas vezes, um sofrimento profundo precisa de tratamento, e a terapia desponta como uma oportunidade de elaboração, vivência do luto e suporte. Também pode ser considerada exógena, quando causada por uso excessivo de álcool ou outras drogas, embora o motivo que leva uma pessoa a se alcoolizar ou a se drogar quase sempre é a própria depressão, o vazio existencial.

É denominada endógena quando há um desequilíbrio de algumas substâncias químicas que regulam as sinapses dos neurônios, como serotonina, cortisol, noradrenalina e outras. A diminuição dessas substâncias pode provocar no cérebro pensamentos conturbados e sentimentos conflitantes e, no corpo, dores, enxaquecas, mialgias, as chamadas doenças psicossomáticas, tão comuns diante da vida estressante do homem pós-moderno. Mas podemos dizer que há tantas modalidades quantas pessoas deprimidas existirem, porque cada caso é único e especifico. Assim, precisamos compreender a pessoa que apresenta sintomas, e não a doença. A psicopatologia compreensiva fenomenológica define a depressão como uma queda ontológica, ocasionada pelo domínio de sentimentos negativos, provenientes de baixa autoestima e de falta de autoconfiança. Presa em seus conflitos, às vezes oscilando entre ansiedade e depressão, a pessoa apresenta sérias dificuldades em manter relacionamentos interpessoais saudáveis.

O homem é um ser de possibilidades, mas em estado depressivo, apresenta um sentimento acentuado de falta de possibilidades. O que emerge são perspectivas negativas e conflitantes. Diante da incapacidade de viver significativamente e dentro de uma concepção individualista, o ser humano, nesse estado, apresenta-se sem condições de pensar, de agir e de sentir. Fecha-se, então, em si mesmo, impotente e em total conflito, consigo mesmo, com a sociedade, cultura, história.

Segundo Ribeiro (1994), no centro de toda psicopatologia está escondida a normalidade, ou seja, aparecem os sintomas, mas reside por trás destes um ser saudável e de possibilidades. E, se ele não pode fluir em suas possibilidades, acaba adoecendo. Nesse sentido, adoecer é estar em desarmonia relacional, seja com o mundo, seja consigo mesmo.

Hycner (1985) considera que a psicopatologia seria o resultado de um precoce diálogo abortado, o que muitas vezes acontece antes de terminar o processo de linguagem propriamente dita. Quando a criança não é escutada, pode ter a sua fala transformada em monólogo. Assim, as experiências são esquecidas quando as relações são podadas ainda precocemente.

Para Romero (1997), o lema de uma abordagem antropológica é que não há doenças, há pessoas que adoecem: "A doença é uma abstração, o doente é um ser pessoal concreto" (p.73). O objeto de estudo da psicopatologia, segundo esse autor, não é a loucura mórbida, mas o homem alienado numa sociedade alienante. Ao considerarmos que o ser humano funciona como um todo, torna-se difícil fazer um diagnóstico ou classificação sem buscar compreender a sua história de vida, mais precisamente a sua infância, a hereditariedade, o contexto familiar, social, histórico e cultural. Miller (1992) destaca a importância de se levar em conta as vivências dolorosas na infância, violência, humilhação, desprezo, manifestações de desamor, sobretudo a impossibilidade vivida pelas crianças de expressarem os sentimentos de raiva, quando foram maltratadas pelos adultos, quase sempre seus pais ou educadores. Esses sentimentos muitas vezes nem chegam a ser sabidos e, com isso, nem sempre a pessoa pode tomar consciência de seus sofrimentos.

Miller (1992) denomina "pedagogia negra" a educação que prioriza a violência e o desrespeito, justificados como sendo "pro seu próprio bem", isto é, manipulações e "maus-tratos" em nome da educação. Assim se formam as neuroses e se instala a depressão, às vezes precocemente, e se criam indivíduos inseguros, violentos, traumatizados. E a depressão seria a queda de uma grandiosidade, que a pessoa precisou desenvolver e manter para lhe assegurar uma imagem, um falso *self*, uma máscara, que usará provavelmente por toda a sua vida, em lugar de seu verdadeiro rosto, ou seu verdadeiro "eu". A partir dessa grandiosidade estabelecida, admiração passa a ser sinônimo de amor. A pessoa entra em depressão se for criticada, se não fizer sucesso, enfim, se não for sempre admirada, quando então não se sente amada. Tal construção é fruto do narcisismo secundário ou narciso ferido.

Ainda segundo Miller (1992), por volta de três anos de idade, a criança vive a fase do narcisismo saudável, quando precisa ser confirmada, aceita nas suas manifestações, curiosidades e exibições, tão naturais nessa fase. Não sendo considerada, compreendida, ou sendo rejeitada, criticada, humilhada, ou ainda sendo excessivamente elogiada e exigida, poderá desenvolver o "narcisismo secundário", a grandiosidade que lhe fará buscar sempre o reconhecimento não encontrado (ou exagerado) na infância.

Para Romero (2004), "o narcisismo pode ser entendido como a tendência do sujeito a exaltar-se a si mesmo atribuindo-se méritos e virtudes maiores que as que de fato possui, mostrando-se apenas em seu lado bom e colocando-se por cima dos outros". (p.133). Seria uma tendência ao deslumbramento de um suposto valor pessoal e a negativa para reconhecer o próprio desvalor e deficiência, as próprias limitações. Algumas manifestações seriam: a megalomania, autoglorificação, querer impor-se e ser o maior, algumas formas de vaidade e presunção, arrogância, desejo de superioridade. A pessoa constrói desde a mais tenra infância o seu jeito de ser no mundo, que em principio é no seio da família, mas vai se adaptando ao social, adaptação essa que muitas vezes chega a perder completamente o que é próprio de si mesmo.

Segundo Ribeiro (1998), "[...] seres humanos e a sociedade constroem-se mutuamente nas relações e então o que somos e o que fazemos tem sentido em nossos contextos existenciais" (p.32). Se somos seres constituídos e construídos nas relações, a criança não nasce pronta, é formada nos encontros e desencontros, podendo então, desde muito cedo, distanciar-se de si, do seu eu verdadeiro.

Giovanetti (2017) fala do vazio existencial vivido pelo homem pós-moderno, uma ausência de sentido, distanciamento das riquezas do contato espontâneo, falta de intimidade, vivência superficial que leva a despersonalização. Uma consequência disso seria, por exemplo, o hedonismo, que é a busca do prazer em primeiro lugar. Buscando somente a vivência do prazer, a tolerância à frustração fica comprometida e o sofrimento torna-se inevitável. "Diante da demanda social de imagem, de consumismo, de competição pelo poder, o homem moderno é atacado pela avalanche das chamadas 'desordens narcísicas'" (p.165).

A preocupação excessiva com a imagem, o culto ao corpo, a necessidade de poder, o apelo constante de propagandas que estimulam o consumismo, são algumas formas de desenvolver quadros psicopatológicos como a anorexia, a bulimia, a cleptomania e até o suicídio. Diante do sofrimento atual e das frustrações, a depressão se instala porque já se encontrava potencialmente instalada, somente evitada desde muito cedo.

2. Recebendo um paciente deprimido

Quando recebemos um paciente em depressão, precisamos estar atentos para acolher o ser que adoece. Moreira e Sloan (2002) falam de "depressão como sendo morte em vida, que é a vida proibida de ser vivida" (p192). Quem é essa pessoa que chega sofrida, que vê a vida proibida de ser vivida? Quem é essa pessoa que chega fragilizada, sem esperança, sem vontade de viver, ou com vontade de morrer? Seja criança, adolescente, adulto ou idoso, recebemos um ser que traz a sua história, diferente de todas as demais, única. O seu vivido, seus significados, sua singularidade, seu ser.

Um psicoterapeuta não recebe sintomas, não recebe "a depressão". Recebe uma pessoa que está sofrendo profundamente de um mal "abstrato", sobre o qual nem ela sabe dizer claramente, ou definir o que está sentindo. Quase sempre já tendo passado por médicos e exames, fica ainda mais desesperada com a falta de uma explicação concreta ou de um recurso imediato para um mal tão doloroso. Algumas pessoas se desesperam ao ouvirem de um médico que "seu problema é emocional" quando se queixa de dores musculares ou outros sintomas físicos. Talvez preferissem um diagnóstico de uma doença grave, mas que pudesse ser "concretamente" tratada, como nas cirurgias. Dizer que é emocional pode significar "não saber o que está acontecendo", e isso é pesado demais para quem se encontra muito deprimido. O desânimo e a culpa se estabelecem e a pessoa se fecha ainda mais, se sente só com a certeza de que não será entendida.

E o psicoterapeuta, como está para receber esse paciente tão sofrido? Toda a sua formação deve se voltar para cuidar do ser. É necessário, para uma proposta tão nobre, mas tão pesada e desafiadora, estar atento para a sua formação, que transcende a informação. É fundamental cuidar de si. Refletir, reviver, elaborar, retomar a sua própria história, seus "lutos", as marcas deixadas na sua infância, compreender os seus limites e saber que nunca estará neutro na relação. Portanto, será passível de sofrer com o sofrimento do outro e, então, não conseguir estar em contato, principalmente se esbarrar em seus pontos "cegos".

A psicoterapia dialógica propõe uma atitude ou postura em relação à existência humana em geral e ao processo psicoterápico em particular. É um modo de ser. No âmago dessa abordagem reside a crença de que a base última de nossa existência é relacional ou dialógica por natureza. "A relação dialógica é um modelo de contato vivido no seu potencial máximo" (HYCNER e JACOBS, 1997, p. 93). Mas, em se tratando de um paciente em depressão, pode ocorrer uma grande dificuldade relacional e dialógica, uma vez que a pessoa pode se encontrar totalmente voltada para si, mergulhada no seu mundo de sofrimento, mesmo se estiver bem conectada com a realidade. Isso pode acontecer porque a pessoa deprimida briga consigo mesma diante de seu posicionamento no mundo. O perfeccionismo, ou exigência de perfeição, é sua característica mais forte. Por exigir tanto de si, por ter tanta necessidade de controle, não acredita que tem possibilidades e que é capaz. Como consequência, sua autoestima está sempre muito baixa e sofre autodesvalorização constante, o que produz sentimentos negativos. Diante de tantos conflitos, fica difícil entrar em contanto com o outro, mesmo que esse outro seja o psicoterapeuta.

É necessário considerar também que, em estado de depressão profunda, o cliente pode não vir buscar a terapia, porque não se encontra em condições de escolha ou decisão. E, então, é trazido por alguém, um parente, ou aquela pessoa que está procurando ajudá-lo. A dificuldade do psicoterapeuta, nesse caso, é enorme: conseguir uma forma de entrar em contato. Às vezes é possível conversar sobre a desesperança, em geral a única ponte de acesso a uma pessoa deprimida. Jamais se deve procurar saídas ou propor a crença na vida. Jamais tentar convencer ou dar sugestões. Isso seria afastar ainda mais a possibilidade de contato. Para uma pessoa em tal estado de desânimo, torna-se insuportável qualquer proposta ou assunto que a leve a se experimentar ainda pior ou mais impotente do que possa estar se sentindo.

O psicoterapeuta demonstra seu interesse, presença, acolhimento e abertura, mas discreta e suavemente. Qualquer movimento ou gesto mais definido pode assustá-la e fazer com que se proteja e se esconda mais em si mesma. A pessoa muito deprimida se esconde do mundo. Segundo Ribeiro (1998), "[...] as resistências e defesas, que penosamente tivemos de desenvolver nos embates que foram as relações, não podem ser atacadas e muito menos dissolvidas" (p.48).

Ou seja, é preciso respeitar a resistência/proteção, o recolhimento dessa pessoa, até que ela possa estabelecer a confiança, voltar-se para o outro e para si mesma. O psicoterapeuta deve cuidar para que suas intervenções não sejam invasivas, mas questões abertas: não interpretativas, não conclusivas, não afirmativas, questões que levem a pessoa a se sentir com vontade de falar.

Zuben (2003) faz referência a Martim Buber, o qual propõe o encontro dialógico, partindo do amor e da reciprocidade. Diante de uma presença amorosa do psicoterapeuta, o paciente pode se relaxar, mesmo não podendo ainda se desvelar. Essa perspectiva também é enfatizada por Amatuzzi (1983) ao falar do resgate da fala autêntica através do encontro, podendo deixar vir a fala verdadeira, acentuando a importância em buscar ouvir o silêncio que está por trás das palavras. Talvez seja esta a proposta que pode facilitar o contato com uma pessoa muito deprimida, porque o seu silêncio diz muito de tudo que não está podendo ainda falar. Cabe ao psicoterapeuta desenvolver, então, a "escuta do silêncio", sem ter a pretensão de interpretá-lo. Compreender e se tornar espelho, um espelho amoroso como aquele que a mãe representa para o seu bebê. Aos poucos, ganhando confiança, o cliente vai deixando surgir um suave murmúrio, o discreto barulho das palavras, que nascem do silêncio. E então, o contato estará estabelecido. A partir daí, começa a se delinear uma grande viagem, o processo psicoterápico.

3. O trabalho interdisciplinar

O psicoterapeuta pode ser competente e experiente, mas não onipotente, pois não tem o poder de "salvador do outro". Cuidar! Mas, muito mais que cuidado, é preciso ter responsabilidade e humildade para entender que não pode assumir sozinho um quadro grave, que precisa ser tratado com seriedade. Buscar sempre conhecimento em psicopatologia, não para classificar ou rotular, mas para compreender melhor o paciente, entender quando vai além da área puramente emocional, se necessita de uma intervenção psiquiátrica (ou de outras), quando se faz necessária a busca de outros profissionais para trabalho em equipe. É preciso tentar uma atuação em sintonia, que volte para a pessoa e não para a vaidade pessoal ou poder profissional. É, antes de tudo, uma questão ética, um dever profissional, fazer o que for possível para tirar o paciente do sofrimento.

Atuar em conjunto com a família pode ser outra demanda, às vezes do paciente, às vezes do terapeuta, ou da própria família, quando se apresenta insegura, sem saber como lidar com o "doente", frequentemente com dificuldade de compreensão do quadro. São necessárias explicações claras, informações e orientações bem práticas, até de como agir, como conversar. Em função da própria ansiedade, os familiares costumam forçar a pessoa em estado depressivo a reagir, a sair de casa, a se cuidar, enfim, a fazer coisas que lhe são impossíveis ou intoleráveis, o que contribui para aumentar a sua sensação de solidão, inadequação, impotência e a certeza de não estar sendo compreendido.

Em caso de pacientes com tendência ou ideias suicidas, é necessária a orientação para uma maior assistência, a fim de que possa ser cuidado sem ser protegido, com o suporte necessário. Apoio, presença, amor são essenciais, mas estando atento às reações e adequando a assistência às necessidades apresentadas. Uma pessoa em estado de depressão apresenta-se sensível, com autoestima baixa e com grande dificuldade em aceitar contato. E, às vezes, é mais difícil ainda para essa pessoa fazer contato com os seus parentes, quando fica mais em evidência o sentimento de culpa por não estar conseguindo viver naturalmente. O terapeuta precisa estar atento para facilitar o encontro e não aumentar desencontros. Quando em contato com familiares, não deve se esquecer de que, naquele momento, eles (os familiares) são seus clientes; portanto, também precisam ser compreendidos, pois sentem- se "perdidos" e também sofridos.

Muito mais difícil se torna para o psicoterapeuta, quando o paciente já fala ou demonstra desejo de morrer, de se suicidar. Segundo Angerami-Camon (1986, p. 27), "[...] uma pessoa não se suicida em depressão, mas em estado de desespero". De fato, alguém que esteja muito deprimido, não tem energia para programar seu próprio extermínio. Mas há momentos em que uma pessoa nesse estado entra em ansiedade ou até em total desespero e o viver passa a ser insuportável. A sensação é de falta de saída, quando a única saída seria a morte. É um momento delicadíssimo para um psicoterapeuta, pois ele não pode desconfirmar a percepção de falta de saída nem a decisão do paciente, mas também não pode ser cúmplice dessa sua decisão. O diálogo deve acontecer naturalmente, tal como se conversa sobre qualquer assunto. Para isso, é necessário o equilíbrio emocional do psicoterapeuta, sem ansiedade em salvar o paciente, mas com vontade genuína de ajudá-lo a achar uma saída. Como afirma Ribeiro (1994), precisamos acreditar no "sábio interior" dessa pessoa e, por mais que pareça estranho, qualquer decisão é fruto de sua sabedoria interna. Em tal situação, sua decisão não pode ser desqualificada, mas compreendida! E juntos irão procurar a possibilidade de tomar outra decisão, ou a existência de "outras saídas".

Assim, cura não é solucionar problemas, mas entrar em contato consciente com esse sábio que cada um tem dentro de si. O trabalho do psicoterapeuta será, então, de ajudar seu paciente a rever suas questões para escolher seu caminho e agir com propriedade, pedir com clareza o que precisa. E não reagir para culpabilizar e punir seus parentes, às vezes com uso de sua própria vida, para pedir atenção e amor. Algumas pessoas pensam em autoextermínio por falta de opção, quando não encontram alternativas e entram em desespero. Conversar com clareza faz muito bem, porque este é um assunto que dificilmente pode ser discutido com familiares ou amigos. Geralmente essa pessoa fica mais confusa por estar tão só em suas dificuldades e as fantasias ficam exageradas se não puder externá-las. Pode ser esclarecedor e trazer grande alívio falar dessas fantasias.

As ideias suicidas podem ocorrer apenas como ideias, e não como projeto, quando em quadros depressivos de grande sofrimento e falta de saída, em que a questão se apresenta muito mais como "vontade de não viver" do que mesmo "vontade de morrer". Normalmente, o paciente se sente aliviado ao compreender essa diferença. Daí a importância de dialogar claramente.

Em se tratando de síndrome do pânico, há um acentuado estado de ansiedade em que a pessoa oscila entre o medo e a vontade de morrer e, nessa fase, pode até pensar em suicídio. No entanto, é mais comum o medo de morrer. Tudo isso é associado a um sentimento de despersonalização, com horror de se perder, o que pode levar a um controle excessivo de si e do ambiente. Assim, essa pessoa necessita de companhia constante, principalmente nos momentos de crise: busca a segurança em alguém e em si mesma. Nesse sentido, é importante assinalar a necessidade do acompanhamento psiquiátrico, pois em estado de ansiedade aguda, precisa ser medicada. No entanto, a psicoterapia será oportunidade de expressão e elaboração do sofrimento, quando o paciente poderá retomar sua história e compreender o seu jeito de ser no mundo.

Na depressão bipolar, em se tratando de um quadro psicótico, ocorrem alucinações, ideias autorreferentes e delírios persecutórios, momento em que há maior perigo de suicídio. Nesse quadro também é imprescindível a medicação e acompanhamento psiquiátrico, paralelamente à psicoterapia. E o tratamento é tanto mais longo quanto mais grave for a crise.

Já nos quadros de uso excessivo de drogas, é comum entendê-lo como uma forma indireta de suicídio, porque as pessoas se destroem ou deixam de viver sua vida possível. O alcoólatra não suporta o seu vazio existencial e busca a bebida para se esconder no seu efeito. Qualquer droga funciona como a muleta que usa para substituir uma falta muito grande, que constitui o seu vazio. E a pessoa entra num movimento circular, porque após o efeito primário vem o secundário, que também é a depressão. Bebe porque está deprimida e se sente pior após a embriaguez.

Nas mulheres, os desequilíbrios hormonais são frequentemente causadores de estados depressivos. Como, por exemplo, as depressões ocorridas durante o climatério, gravidez, pós-parto ou puerperal. Eles podem ser leves, moderados e até graves. Eventualmente, podem ocorrer nos primeiros meses de gravidez. Nesse caso é mais complicado, porque fica difícil uma medicação que possa não atingir o bebê. A psicoterapia é de suma importância em todos esses quadros, podendo ser indispensável também o acompanhamento de um psiquiatra (bem como do obstetra que já a acompanha desde o princípio da gravidez).

Além das alterações hormonais, as pressões vividas pelas mulheres nos tempos atuais podem provocar ansiedade e depressão. Com tantas atribuições e projetos, a maternidade tem ficado em segundo plano. Quando o tempo biológico para engravidar já está vencendo, elas buscam pelas técnicas de fertilização artificial e, então, a ansiedade acomete a mulher. Se ocorre a gravidez, também a tensão costuma ser enorme, medo de perder o filho, de ser essa a sua última chance! Se a perda acontece, a depressão torna-se inevitável, mesmo que seja reativa e breve.

Há mulheres que, após o parto, apresentam grande insegurança, medo da responsabilidade de cuidar do filho e, ao mesmo tempo, culpa por não estar desejando cuidar desse filho. Tamanha pressão vivida pode desencadear um quadro depressivo que necessita assistência psicológica e, às vezes, também psiquiátrica. Falar sobre seus medos, seu desânimo e sua culpa pode ser um alívio para essa mãe. Em estados depressivos mais graves, precisará ser medicada. E o trabalho compartilhado só pode contribuir para o seu retorno a uma vida saudável, à maternidade tão esperada.

Em nossa sociedade, a gravidez tem sido um período de "festividades", as vezes estressantes para a mulher. Festa de revelação de sexo, "chá de fraldas", decoração de quarto, familiares no hospital, parto assistido pelos parentes, filmado e divulgado. Enfim, a jovem mãe não tem privacidade para viver a emoção e insegurança que a acomete na gravidez e nem descanso para se recuperar fisicamente no pós-parto. Muitas entram em estado depressivo e solicitam a assistência de um psicoterapeuta, quando podem expressar o que estão sentindo, com suporte para enfrentar a insegurança, incerteza, medo e culpa que lhes atormentam.

Enfim, em qualquer manifestação de sofrimento, é preciso compreender se o que o paciente manifesta é depressão ou trata-se de um momento difícil e penoso da vida. Sofrimento não significa depressão, é inerente ao ser humano. É necessário buscar o significado da experiência depressiva no vivido daquele que se queixa de depressão. E assim compreender a pessoa que adoece.

4. Considerações finais

Trabalhar com pessoas em estado de depressão já faz parte da rotina na clínica psicoterápica. Podemos dizer que a depressão se apresenta como um denominador comum a quase todas as doenças, tanto nos quadros psicopatológicos propriamente ditos, como nos quadros psicossomáticos. Como não "selecionamos casos", ficamos sujeitos a receber pessoas em estado de grande sofrimento e de difícil tratamento. Por exemplo, aquelas pessoas com tendências ou até projeto de suicídio. Precisamos estar conscientes da gravidade e também de nossa responsabilidade e cuidado, porque seria terrível para um cliente, em estado de desespero, ser dispensado pelo profissional que procurou para seu psicoterapeuta. Mas, como atender se não se perceber em condições emocionais para fazê-lo? Não se pode mostrar uma disponibilidade que não seja verdadeira.

Ribeiro (1994, p. 75) questiona: "Do que precisamos para nos tornar mais suportivos sem diretividade, para que as pessoas diante de nós não se sintam invadidas nem abandonadas?". E como podemos demonstrar nossa disponibilidade naturalmente? É necessário grande cuidado com o nosso emocional, com a nossa coerência, com a nossa energia e também com a nossa atualização constante.

Cuidar de ser para cuidar do ser!

Referências

AMATUZZI,M. *O resgate da fala autêntica*. Campinas, SP: Papirus,1983.

ANGERAMI-CAMON,V. *Suicídio*. São Paulo: Pioneira,1986.

EY, H.; BERNARD, P.; BRISSET, C. *Tratado de psiquiatria*. Barcelona: Toray Masson, 1985.

GIOVANETTI, J. P. *Psicoterapia fenomenológico-existencial*: fundamentos filosófico-antropológicos. Rio de Janeiro: Via Verata, 2017

HYCNER, R. *De Pessoa a pessoa*: psicoterapia dialógica. São Paulo: Summus,1995.

HYCNER, R.; JACOBS, L. *Relação e cura em Gestalt-terapia*. São Paulo: Summus, 1997.

MILLER, A. *Por tu proprio bien*. Barcelona: Tusquets, 1992.

MILLER, A. *O drama da criança bem dotada*. São Paulo: Summus, 1994.

MOREIRA, V.; SLOAN, T. *Personalidade, ideologia e psicopatologia crítica*. São Paulo: Escuta, 2002.

ORGANIZAÇÃO MUNDIAL DA SAÚDE. *Depression and other common mental disorders*. 2017. Disponível em: <http:// apps.who.int/iris/bitstream/handle/10665/254610/WHO-MSD-MER-2017.2-eng.pdf;jsessionid=FA9948812E8BF03E435C56A-C82200018?sequence=1> Acesso em: 01 ago. 2018.

RIBEIRO, W. F. R. R. *Existência essência*. São Paulo: Summus, 1998.

ROMERO, E. *O inquilino do imaginário*. São Paulo: Lemos, 1997.

ROMERO, E. *O encontro de si na trama do mundo*. São Paulo: Della Bidia, 2004.

ZUBEN, N. A. V. *Martim Buber*: cumplicidade e diálogo. São Paulo: Edusc, 2003.

Psicopatologia fenomenológica: expressões contemporâneas da depressão

Maria Madalena Magnabosco

Refletindo a partir dos fundamentos da Antropologia Filosófica, neste artigo o conceito de "psicopatologia" será tratado como uma adaptação enrijecida e cristalizada em que o homem, frente a sofrimentos e adversidades, perdeu a convicção do construir-se, do abrir-se a novos modos de ser e, com isso, desviou-se do cuidar de sua historicidade, de sua memória e da espera.

O adoecer acontece nas circunstâncias em que o homem descuida de si, ao portar alguma certeza de não poder esperar, isto é, de não ter a liberdade de iniciar-se em sua temporalidade.

A psicopatologia clássica, de base organicista e biológica, traz, em si, uma concepção determinista do humano, retirando-o da convicção de ser livre e com indeterminadas (e não infinitas) possibilidades de existir.

A partir dos fundamentos da liberdade e indeterminação, diversos dos da psicopatologia clássica, pensar-se-á a saúde e o ser saudável quando o homem pode esperar naturalmente por ser de temporalidade. Quando já não se tem a convicção e o cuidado com o âmbito da espera, fica-se sem saúde, por entrar na *diselpidia*: o adoecer da esperança, segundo Entralgo (1978).

Mantermo-nos na espera, metáfora da temporalidade, é não fecharmos a compreensão, ou seja, é não colocarmos que chegamos a um ponto final, mas, antes, estamos apenas retornando a ele para darmos uma primeira, uma segunda, uma terceira leitura que nos amplie a percepção e nos permita a ressignificação. Com esse movimento saímos da imediaticidade para a mediação no tempo, do mero sintoma para a manifestação do fenômeno, da mera classificação patológica para uma compreensão dos modos como se é afetado, o qual revela uma concepção de homem que perpassa toda uma constituição de nossa corporeidade no mundo das relações.

Compreendermo-nos como seres temporais, espaciais, históricos e culturais, portanto simbólicos, implica termos um compromisso de ir além do dado, além do fato, para depararmo-nos com o fenômeno e outras articulações de sentidos.

Por esse viés, conceituam-se neuroses como zonas de sombreamentos onde habitam conflitos entre o modo como se sente e vive e o que se esperaria sentir e viver. Esse conflito acontece em função de um modo aprendido pela pessoa de vivenciar a realidade em sua história de vida, principalmente quando a leitura das vivencias tem como base os valores socioculturais de um Dever Ser.

O conceito de vivência é fundamental para a compreensão das neuroses, pois é ela quem dá a coloração afetiva com que percebemos a realidade. Essa coloração vai responder pelas timopatias das neuroses, ou seja, pelas alterações da vitalidade ou do ânimo.

Nesse sentido, neuroses não são doenças, mas alterações do ânimo ou humor.

Elas se desenvolvem dependendo do modo como vivenciamos a realidade que se nos apresenta. Em outras palavras, podemos, diante do vivenciar a realidade, desenvolver um humor temeroso, esperançoso, angustioso, etc. O que define as zonas de sombreamento é o terreno comum das situações limites e o modo como aprendemos culturalmente a lidar com elas, dada uma concepção de homem e as questões relativas às suas expectativas e aspirações no tempo histórico e cultural.

Segundo Jaspers (1967), as situações-limite são as antinomias próprias ao fundamento do existir humano, em que nos deparamos com contraditórios, os quais, em um pensar maniqueísta e dicotômico, tornam-se excludentes e não opositores. Ainda, segundo o autor, são aquelas situações em que temos a consciência de nossa finitude, onde saímos do Éden para o terreno do inacabado, do imperfeito, do incerto e da contingência humana. São esses contextos situacionais que nos trazem a experiência do sofrimento, os quais nada mais são que momentos do existir onde somos checados em nossa ilusória infalibilidade e somos convidados a repensar nossos modos de ser no mundo. As situações existenciais que mais nos colocam nessa vivência são: a luta, a culpa, a dor, as contingências e fatalidades da vida. Diante delas, somos obrigados a nos perguntar: O que vou fazer de mim?

Assim, a neurose, em sua constituição nos modos humorosos de vivenciarmos uma realidade, nos trará o como faço (com que tom recebo e vivencio circunstâncias?) e o que faço (qual ação?) para responder à interpelação, à pergunta que nos está sendo colocada.

Dependendo do modo como vivenciamos a realidade, podemos fazê-lo com o tom da dó, da melancolia, da lamentação, da revolta, da decepção, do medo, e esses tons irão dirigir diversamente nossas ações. Em outras palavras, cada tom determina um tipo de atitude de viver e se perceber, a qual direcionará a compreensão e significado da existência para uma escolha e caminho e não para outra.

A pergunta "o que vou fazer?" é muito importante, pois é ela que nos projetará no modo e tonalidade do sofrer. Precisamos aprender a sofrer para que o sofrimento não nos sucumba. Digo isso pois as situações limites são inerentes ao existir humano e, em sua presença, o homem vivencia a inquietude. A inquietude se apresenta, pois são essas situações que nos dão o que pensar e nos motiva a construir em tempos e espaços ainda desconhecidos. Elas nos colocam diante reflexões e fazeres, retirando-nos a certeza de sermos prontos e acabados.

Quando, diante de inquietudes, o homem não se coloca uma pergunta e um projeto, ou seja, quando ele vivencia os limites como fim e fracasso, e não como possibilidade de inícios, sua pressa em ficar livre das inquietudes o fará vivenciar o temor paralisante do nada, da loucura e da morte. São esses os três problemas que constantemente aparecem nas neuroses, dado seu humor temeroso por não saber como lidar com os contraditórios como opositores, e pela des-esperança e angústia ao viver o ainda não poder ser como excludente do ser.

Assim, podemos pensar que as neuroses têm como pano de fundo o medo, um problema no modo como vivenciamos a temporalidade.

Toda vivência humana tem uma conexão com o tempo (passado, presente, futuro). Quando bloqueamos sua continuidade, vivenciamos os limites como rupturas finalizadoras e, assim, entramos no medo e, consequentemente, na filosofia do instante. Essa filosofia é própria do imediatismo do homem fáustico de Goethe, o qual quer abolir a inquietude e a luta humana pela contínua ressignificação de seu ser no mundo. É nessa tentativa de abolição que acontece a verdadeira ruptura tão temida, porém provocada por aquele que dela fugia. É quando se instala a neurose pela discrepância entre o que se espera e o que é possível e gerador de sentido para o próprio existir.

Se a discrepância entre o possível e o desejado torna-se grande – dada a ruptura com a temporalidade humana –, adoecemos nessa luta. Em outras palavras, todas as vezes que nos dissociamos do que podemos ser e fazer, e do que gostaríamos de ser e fazer, entramos em um problema com a loucura, a morte e o nada.

Nesses momentos, desejamos retirar-nos rapidamente da condição da finitude humana e vivenciamos a inquietude e a angústia com muito medo. É pelo medo que transformamos a angústia em ansiedade e recusamos a reflexão, o pensar, o escolher e o construir.

Nas confrontações e resoluções das situações limites, podemos perceber o valor orientador do ser nas relações com o mundo e o modo como poderemos responder a elas. A base, o ponto de partida para pensarmos as psicopatologias, define o problema, ou seja, o modo como cada um irá colocar-se diante uma manifestação. Se o problema é definido como um modo possível para responder às interpelações do vivido, há uma esperança. Se é definido reduzidamente a um sintoma em si, haverá rótulos, enquadramentos e desesperanças.

Um dos modos de responder aos vividos na contemporaneidade se faz mediante o que se conhece na cultura psicopatológica como adaptações depressivas, na qual adentrarei.

1. Depressão: quando o pensar vira pesar

Segundo dados da Organização Mundial da Saúde (OMS) em seu último censo sobre epidemiologia, a depressão é considerada – e ainda o será até 2030 – o mal do século. Para conhecermos os dados: 322 milhões de pessoas sofrem de depressão no mundo (4,4% da população mundial); 2,3 milhões de pessoas no Reino Unido apresentam depressão; os EUA estimam que 17,6 milhões de pessoas sofrem de depressão; no Brasil, 5,8% da população sofre de depressão, que afeta um total de 11,5 milhões de brasileiros. Diante tais dados podemos nos questionar sobre os motivos para tal incidência na população mundial.

A Medicina e Psiquiatria Clássica nos informam sobre os constantes estresses do mundo contemporâneo que desestabilizam o equilíbrio sináptico e neuronal, provocando instabilidades no transito das principais substancias químicas que nos sustentam em uma sensação de bem estar, a saber: serotonina, dopamina e noradrenalina. Os desestabilizadores se encontram no meio ambiente, na questão nutricional e suas deficiências, no excesso de trabalho, nas tensões da relação homem – mundo para garantir sobrevivências, na desigualdade socioeconômica, etc. A essa desestabilização que induz a um modo depressivo, dá-se o nome de depressão exógena. Em outras palavras, uma depressão que não está latente em uma carga genética e que traduz um sofrimento humano onde a pessoa apresenta diversas sintomatologias que a impede o bem estar e uma boa atuação na vida cotidiana.

O Manual de Diagnóstico e Estatístico de Transtornos Mentais (DSM-5) apresenta nove critérios para depressão, dos quais cinco devem estar presentes.

Os sintomas mais conhecidos e mencionados na literatura do DSM-5 são:

a. Humor deprimido na maior parte do dia, quase todos os dias, conforme indicado por relato subjetivo (por exemplo, sente-se triste, vazio ou sem esperança) ou por observação feita por outra pessoa (por exemplo, parece choroso); em crianças e adolescentes, pode ser humor irritável.

b. Acentuada diminuição de interesse ou prazer em todas ou quase todas as atividades na maior parte do dia, quase todos os dias (conforme indicado por relato subjetivo ou observação).

c. Perda ou ganho significativo de peso sem estar fazendo dieta (por exemplo, mudança de mais de 5% do peso corporal em menos de um mês) ou redução ou aumento no apetite quase todos os dias; em crianças, considerar o insucesso em obter o peso esperado.

d. Insônia ou hipersonia quase diária.

e. Agitação ou retardo psicomotor quase todos os dias.

f. Fadiga ou perda de energia quase todos os dias.

g. Sentimentos de inutilidade ou culpa excessiva ou inapropriada (que podem ser delirantes) quase todos os dias (não meramente autorrecriminação ou culpa por estar doente).

h. Capacidade diminuída para pensar ou se concentrar, ou indecisão quase todos os dias (por relato subjetivo ou observação feita por outra pessoa).

i. Pensamentos recorrentes de morte (não somente medo de morrer), ideação suicida recorrente sem um plano específico, tentativa de suicídio ou plano específico para cometer suicídio.

Na busca por alternativas para lidar com o humor depressivo e supressão da sintomatologia, o tratamento medicamentoso é o mais utilizado.

Entretanto, existem outras leituras sobre o processo depressivo, o qual não é tratado como mera alteração neuroquímica e merece ser considerado como um modo da relação com o mundo.

No caso da depressão, a partir da perspectiva fenomenológica existencial, devemos considerar o corpo vivido, ou seja, o corpo que somos e não um corpo que temos. Nas palavras de Ari Rehfeld (2004):

> Pensar o corpo em si, separado, isolado do mundo, é outra abstração da qual pouco resulta. Toda a nossa apreensão do mundo é dada pelos sentidos do corpo que somos. É justamente porque somos assim que aprendemos de maneira especificamente humana. (p.2)
>
> Por que o tema deste nosso encontro é corpo e corporeidade e não somente corpo?
>
> Porque todos nós intuímos a insuficiência de uma visão física, objética, material, orgânica, fisiológica, do corpo. Queremos descrever a qualidade de nossa relação com o mundo através do corpo que somos, pois é através dele que se dá todo contato e reconhecimento do mundo.
>
> Também nosso contato com nossos sentimentos traduz-se em sensações corporais.
>
> Exemplo: sei que estou com medo a partir de um conjunto de sensações como tremor, sudorese, taquicardia, etc...
>
> Percebemos as mudanças no mundo e no corpo que somos – desejo, envelhecimento – através não somente de nossos olhos, mas também do nosso olhar.
>
> Isto significa que não basta descrever as coisas mesmas, mas é necessário descrevermos este nosso olhar.
>
> Fazer uma fenomenologia da corporeidade não é descrever um corpo, mas sim a qualidade e os significados de uma experiência, que esteja intimamente relacionada com este corpo. (p.4)

Para melhor compreendermos o corpo vivido em um processo depressivo na contemporaneidade identificaremos alguns fenômenos que têm se manifestado na relação do homem com esse tempo histórico.

Segundo o filósofo Buyng-Chu Han (2012), vivemos uma sociedade do cansaço, "[...] onde o rendimento, como expressão da vida ativa, está convertendo-se paulatinamente em uma sociedade de dopagem." (p. 71).

Em um vídeo gravado para uma emissora espanhola, Buyng-Chu Han nos diz que o processo de liberdade anterior à contemporaneidade fracassou. Vivemos confundindo liberdade com rendimento a ponto de crermos que a autoexploração se tornou sinônimo de realização.

Essa autoexploração é o exemplo de dopagem, isto é, do ato de nos doparmos, seja pelo medicamento, seja pelo excesso da atividade.

Ainda nas palavras do filósofo:

> Se a dopagem estivesse permitida também no esporte, este se converteria em uma competição farmacêutica. No entanto, a mera proibição não impede a tendência de que agora não só o corpo, mas o ser humano em seu conjunto se converta em uma "maquina de rendimento", cujo objetivo consiste no funcionamento sem alterações e com a maximização do rendimento. A dopagem é somente uma consequência desse desenvolvimento, no qual a vitalidade mesma, um fenômeno altamente complexo, se reduz a mera função e rendimentos vitais.
>
> O cansaço da sociedade do rendimento é um cansaço solitário que isola e divide. [...] Esses cansaços são violências, pois destroem toda comunidade, toda proximidade, inclusive a linguagem: "Aquele tipo de cansaço – sem fala, como tinha que seguir sendo – forçava] a violência. Essa talvez se manifestasse apenas no olhar que deformava o outro". (HAN, 2012, p. 72-73)

Nessa sociedade do rendimento, e consequentemente do cansaço, o êxito da depressão se dá no constante esforço que o homem faz para dever ser ele mesmo. Um ele mesmo ditado pelo constante fracasso de não conseguir sê-lo. Como este fenômeno está se expressando nas relações midiáticas contemporâneas?

Na contemporaneidade, temos acesso a vários artigos, documentos, postagens em blogs, sobre a incidência da depressão como o mal do século. As circunstâncias que a definem são de diversas origens, como, por exemplo, excesso de exigências no mundo do trabalho, isolamento social pela virtualidade das relações, insegurança advinda de uma política socioeconômica que desconsidera os direitos humanos e sociais e ausência de afetos que possam referenciar a pessoa na vida em função da fragilidade dos laços humanos. Enfim, as causas apontadas, muitas vezes, nos levam ao risco de definirmos a depressão pela sintomatologia presente nos mal estares do existir.

Entretanto, devemos ter o cuidado de não tomarmos a sintomatologia do mal estar como definição do problema.

É verdade que vivemos tempos de enormes dificuldades relacionais, de desigualdades sociais, de exigências cada vez mais técnicas de atuação em detrimento às condições de possibilidade do homem como vivencial, finito e atribuidor de sentidos.

Assim, mediante todo o conceito apresentado sobre as neuroses, pensarei a depressão não pela manifestação do sintoma, mas pela dificuldade do homem, no contexto contemporâneo, em pensar a si como um ser temporal e de indeterminadas possibilidades, o que lhe exige um constante refletir sobre seus sentidos e seus modos de ser no mundo.

Há cada vez mais reportagens, sites, blogs, documentários que trazem regras do que é um bem viver. São tantos expertises, gurus, religiosos, *coachings*, mestres da física quântica que explicitam quem é o homem e como ele deve fazer para alcançar a alegria, a paz e ser espiritualizado, enfim, para ser.

Com o aumento do advento da técnica e com os grandes expertises nos dizendo como, quando, o que e por que fazer, o homem perdeu o contato com seu próprio sentido e, a cada vez que se pensa, seu pensar se torna um pesar.

O pensar-se como humano, construtor de sentidos a partir de suas escolhas, do que irá que propiciar alegria na relação com o mundo, vem carregado do peso do que ele não conseguiu atingir diante os ditames de tantos expertises, seja na dimensão do trabalho, das relações afetivas, da profissão escolhida, do lazer possível, etc.

Pensar a si próprio torna-se um pesar e a distância entre o sentido para si e a expectativa do dever ser tem impedido a reflexão do Ser.

Por esse viés, na contemporaneidade, a depressão tem se apresentado como a expressão fenomênica da perda da autenticidade e reflexividade sobre o ser.

Cada vez menos, as pessoas tem se questionado sobre os valores e as lutas que fazem sentido em suas vidas. Sem perguntas, sem projetos e com diversas desesperanças por não serem o que deveriam ter sido, seu humor lhe traz a percepção da realidade como um peso, um pesar por tudo o que não se foi e não se é.

Trabalhar a depressão na contemporaneidade é uma tarefa que nos exige uma delicadeza para percebermos onde as pessoas depositam sua atenção, em quais valores, com quais objetivos e diante da pergunta: o que você irá fazer enquanto na temporalidade do ex-istir? Como se cuidará?

A meu ver, essa é uma das grandes ideologias de dominação da sociedade contemporânea, ou seja, a captura da atenção do homem para os rituais do parecer, do rendimento, em detrimento à reflexão dos valores do ser.

Quanto mais sua atenção estiver nas redes sociais, nas eficácias das técnicas, nos rituais do pensamento mágico e energia positiva, nos clubes e organizações que lhes trazem técnicas de respiração para se alinhar e bem viver, em gurus que o acompanha em travessias geográficas de longas distâncias para uma purificação do ser, nas performances do corpo saudável, mais o homem se perderá no redemoinho dos ventos e afastar-se-á de si se ludibriando como um ser que não ex-iste no mundo.

Este é o pesar: o peso do ausentar-se de si, do perder-se nos emaranhados que trazem formas e pensamentos prontos, performances para a autenticidade, em que basta adequar-se para conseguir o êxito de ser quem se deveria.

Diante tais colocações verificamos que uma das manifestações habituais da depressão é uma vivência de angústia – que, dentro da psicopatologia clássica, é identificada como doença – na qual o peso do corpo se abstém da abstração por uma entrega na culpa e no arrependimento inautêntico, devido ao enorme distanciamento entre as expectativas e aspirações do homem na sociedade do cansaço.

Na maioria das vezes, a Medicina identifica a depressão por uma falácia de afirmação do consequente pelo antecedente, ou seja, distúrbios químicos causam a depressão. Nessa concepção, existe um pressuposto de que o corpo não se constrói nas relações com o mundo, mas é puramente químico. Sendo químico, basta tomar remédio para que se desfaça a tensão dos conflitos. Mais uma vez, acontece uma justaposição de alívio por substâncias químicas com o encontro com a felicidade e o Ser. Esse tipo de concepção justapõe sintomas de depressão com o conceito de depressão.

Depressão é uma alteração do estado de ânimo no qual a pessoa sente a perda ou privação de um bem. É como se a pessoa perdesse a base de sustentação existencial, escorregando para o vazio e extenuando-se frente à perda de um sustento existencial. (Romero, 2011)

No mundo contemporâneo, pautado pela imediaticidade, pelo "ficar livre de", pela pouca ocupação com o outro, a linguagem não cuida da experiência apropriativa do Ser, mas se reduz a uma reprodução de impessoalidades do tipo: "faça isso e você ficará bem", "não desperdice seu tempo com a dor", "você perdeu, mas a vida continua", "tome tal medicamento e logo se sentirá feliz"...

Diante desse modo de conceituar e de tratar a depressão, percebe-se que ela é colocada fora do contexto humano para ser concebida reduzidamente como uma questão de sinapses neuroquímicas, necessidade de pensamento positivo, etc.

Buscando outro olhar, o qual contextualiza o homem na cultura em que foi socializado, concebo a depressão a partir de uma socialização para a excelência e o temor da perda das aparências nas relações contemporâneas.

Nesse contexto, o que pesa é um arrependimento inautêntico, o qual nada mais é do que identificar uma perda, mas não diferencia-la do sentido e significação da existência própria para com a aparência exigida pelos deveres ser da cultura e sociedade em que vive.

A dinâmica psíquica do arrependido inautêntico – por não diferenciar Ser e Ter – é estender-se na dor como forma de insensibilizar-se pela comiseração e, dessa forma, não transformar a culpa que desarticula afetos. Digo desarticular, pois, no excessivo retesamento do corpo na perda, não há o espaço entrearticular que permite a flexibilidade, o movimento do contrair e distender, necessários à formação sintética da ação transformadora. Na rigidez da culpa e arrependimento inautêntico, há uma atitude deformadora do próprio corpo, o qual é privado de seus movimentos em nome da manutenção do único caminho da obediência ao peso das imagens nas quais ele não mais se reconhece.

Toda atitude deformadora se dá pela não valoração do outro como um ser que participa da interarticularidade da vida afetiva. Na depressão a pessoa se sente só, árida, sem ninguém, não considera ajudas e outras possibilidades, eliminando a presença do outro em sua vida. Eliminar o outro é eliminar a relação, o entre que nos articula e nos possibilita refletir e ressignificar a própria existência.

Nos dizeres de Buyng-Chu Han (2012):

> Toda época tem suas enfermidades emblemáticas. O começo do século XXI, do ponto de vista patológico, não seria nem bacterial, nem viral, senão neuronal. As enfermidades neuronais como a depressão, o TDAH, o transtorno limite de personalidade ou a síndrome do desgate ocupacional definem o panorama patológico do começo deste século. Estas enfermidades não são infecções, são infartos ocasionados não pela negatividade do outro imunológico, mas por um excesso de positividade. (p. 13)

Essa positividade nada mais é que a exclusão do outro em função de um aumento da importância do si. E, o outro é a categoria fundamental da imunologia.

Sem imunologia, pelo excluir-se na relação com o mundo – o que pesa e debilita o corpo –, o próprio dessa eliminação interrelacional – a qual é necessária para a alteração do tônus – é a alteração da matiz ou tonalidade afetiva da pessoa frente ao mundo. Ela isola, exclui o outro, sofre, mas o sofrimento próprio do arrependido inautêntico.

O arrependido inautêntico, isto é, o que foge de si, da vida, das questões inerentes ao existir humano e sua finitude, retesa-se e debilita-se pelo caráter decisivo de anular a presença do outro, o que implica uma ruptura de comunicação com o mundo. Ao romper a comunicação, rompe com a relação humana interpessoal, a qual é fundamental para qualquer transformação do pesar em pensar. Recusando a relação, entra-se no movimento de fuga. Fuga de si e do outro, para uma não transformação dos valores relacionais e atitudes anteriormente colocadas, as quais perpetuam a culpa. Culpa essa que, segundo a definição de Canetti (1995), nada mais é do que um sentimento de ser presa.

Nessa estrutura de aprisionamento no si, de um apego ao rendimento para ser o que se deve, a metamorfose de fuga (CANETTI, 1995) essencial do arrependido inautêntico, é a de fazer-se de morto. Faz-se de morto principalmente ao usar do ardil da exposição de sua comiseração e vitimização como forma de aprisionar e, assim, sair da condição de presa.

Entretanto, essa é a ilusão enganosa do arrependido inautêntico, pois ele continua presa, por colocar seu objetivo como o de apenas aliviar a tensão pelo distanciamento das relações no mundo. Nessa busca de alivio, não há uma colocação de problemas a ser resolvidos (o pesar não quer transformar em pensar). A consequência dessa escolha é a recusa do problematizar, gerando a alienação da consciência culposa pela anulação da consciência da finitude, da impotência, as quais são concebidas como o mal e a infelicidade. Vive-se para retornar a um estado de pureza (ilusões construídas sobre o ter, a imagem, a aparência) que nega a condição humana com todas suas limitações existenciais.

Na culpa, não vivemos a condição de apropriação de possibilidades, o que nos torna infelizes e pesados. Entretanto, o homem nasce feliz, pois felicidade é a possibilidade de possibilidade. Quando, na depressão, há uma recusa em se apropriar de outras possibilidades diante de uma perda, uma ruptura, uma separação, um fracasso, a pessoa deseja enfatizar apenas o trágico da condição humana. Na opção pela tragicidade, ela não consegue responder por si, ou seja, não se apropria do que ainda é possível, não responde pelo preferir, permanecendo na ideologia do rendimento e autoexploração de si e a uma crença de tragicidade humana. Nessa, você não pode fazer nada a não ser se entregar, isolar-se do mundo, retirar-se das convivências, ao crer estar cumprindo seu destino trágico.

Esse é o fundamento do arrependimento inautêntico, pois arrepender autenticamente significa perdoar e retornar. Perdoar a si pelas ilusões, pelas decepções, pelo não saber, pelo ainda não poder em determinados contextos, pelos enganos, pela alienação, pelo não enquadramento nos rendimentos esperados.

Perdoar é voltar reflexivamente sobre os próprios passos e recomeçar (ARENDT, 1987). No arrependimento autêntico, o valor é a autoconstrução para a liberdade, diferentemente do arrependimento inautêntico, que valoriza o aprisionamento ao determinismo de um destino trágico (só podia ser comigo, sou mesmo azarado, isso não acontece com mais ninguém, não tem jeito para mim, agora estou sem qualquer possibilidade...).

Nesse contexto da recusa da reflexão, o qual gera os arrependidos inautênticos, o pressuposto que existe é que a pessoa deprimida tem aa obrigatoriedade de manter o poder. Poder como domínio pela comiseração do que não foi, pela exposição prolongada da dor, pela culpabilização de si e do mundo, pois ele cumpriu com todos os rituais dos expertises e não conseguiu ser feliz e viver em paz.

Fazendo isso, a pessoa não se apropria das possibilidades da vida, mas quer aprisionar pessoas, ao mesmo tempo em que recusa os outros, a comunicação, as interpelações no mundo. Ela aprisiona por não desejar se desfazer de nada que aconteceu (apego ao passado, o qual não pode mudar, não pode ser atualizado). Assim, tudo o que é proposto, de antemão, não dará certo e nem terá uma alternativa. A convivência, nesses momentos, torna-se um saco sem fundo, pois nada mais é possível e, nesse movimento, fica-se prisioneiro do poder da pessoa que não se quer se desfazer do passado e não deseja se apropriar dos projetos possíveis, do ser possível em detrimento ao dever ser.

Nesse sentido e contexto, a depressão não é doença, mas um modo humoral de estabelecer relação com o mundo por meio do pressuposto de caça e presa. Pressuposto esse que se sustenta por um modo relacional hierárquico, típico da cultura da reverencia ao dever ser, na qual o valor maior é a primazia ou o cumprimento das normas de excelência autoimpostas. Se não se tem uma vida baseada nos ganhos, tem-se a perda, tem-se o peso, tem-se a ausência de sentido e a impossibilidade de se recriar com outras possibilidades. Essa vivência de perda (de objetos, pessoas amadas, vigor juvenil, status, baixa de rendimento etc.), que retesa o tônus corporal, que retira a pessoa das relações, que a emudece para a vida é sustentada pela dor de se ver fracassada no combate, pelo cansaço advindo do constante movimento de abater o outro para não se tornar presa.

Entretanto, a pessoa não se dá conta de que o aprisionamento está em seu próprio olhar, tal como Medusa, mito que em diversos estudos associam-na com a depressão.

Para conhecermos um pouco do mito reproduzi-lo-ei abaixo:

> Medusa, junto com suas irmãs, Stheno e Euryale eram filhas dos Titãs do mar, Porcys e Ceto. A Medusa Algol era a mais jovem, mais bonita e também a única mortal entre as três. Diziam terem sido extremamente sábias; todas elas serviram como sacerdotisas para

Athena, a deusa virgem da sabedoria. Porém Poseidon, o deus do mar, teria seduzido Medusa no templo de Athena e elas teriam se tornado vingativas e rancorosas a respeito dos homens.

Athena transformou Medusa e suas irmãs em bestas horrorosas, com pele escamosa, asas e um cabelo formado por serpentes enroladas. Medusa era a única mortal. Todos aqueles que miravam em seus olhos, se tornavam petrificados. Medusa vivia em uma caverna e foi decapitada por Perseu.

Crisaor e Pegasus eram filhos da Medusa e nasceram quando a Medusa foi decapitada. Crisaor tem este nome porque já nasceu com uma espada de ouro. Unindo-se a Calírroe, nasceu o filho Gerião com três cabeças, que foi morto por Héracles. Também foi o pai de Equidna, o terrível monstro que era metade mulher, metade serpente. Pegasus era um cavalo alado que acompanhou Perseu e Belorofonte nas suas aventuras.

Medusa era trágica e solitária; petrificava com apenas um olhar. Tirava a vida com o movimento do olhar e também não podia ser vista de frente, pois causava ao aventureiro uma paralisação. O sangue que escorreu de Medusa foi recolhido por Perseu. Da veia esquerda saia um poderoso veneno; da veia direita um remédio capaz de ressuscitar os mortos. Ironicamente, Medusa trazia dentro de si o remédio da vida, mas não o sabia usar, sempre usou o veneno da morte.

As gorgonas são símbolos do inimigo a combater, as deformações monstruosas da psique, forças pervertidas das três pulsões do ser humano: a sociabilidade, a sexualidade e a espiritualidade. A dificuldade em perceber a própria imagem traz a dúvida que atormenta grande parte da humanidade: Quem sou eu?

É a grande questão do ser humano que nunca se pergunta: O que eu não sou?

Incapazes de mostrar uma imagem positiva, as pessoas erram pela vida alinhando possibilidades para construir a sua própria monstruosidade. Assim como os filhos de Medusa, herdam da mãe a figura monstruosa, apesar de serem também filhos de um deus. Em Pegasus há os dois sentidos, a fonte e as asas, símbolo da inspiração poética que representa a fecundidade e a criatividade espiritual. Pegasus talvez represente o melhor lado da Medusa, que ficava escondido e não podia ser visto, pois ela representava a pulsão espiritual estagnada, e Pegasus, a espiritualidade em movimento.

Com uma autoimagem distorcida, algumas pessoas agem como filhos da Medusa, não conseguem ver a si mesmos como são, e sempre se imaginam bem piores do que poderiam ser.

Medusa incorpora a personalidade depressiva, ela não gera filhos felizes, apenas trágicos. Medusa não olha, não acaricia, não orienta; paralisa. Não é por acaso que o sentimento da depressão é a inércia, a perda da vitalidade. Como se tivessem transformados em pedra pelo olhar da mãe, os que se sentem filhos da Medusa, erram pela vida sem espelhos que traduzam a sua real imagem. São pessoas desprovidas de afeto com uma enorme necessidade de carinho. No entanto, não suportam proximidade, uma vez que não confiam em ninguém, pois não acreditam que podem ser amados e sentem-se como monstros. São monstros cuja criatividade precisa ser libertada e precisam encontrar um espelho que lhes diga quem são, ou pelo menos quem não podem ser.

Da morte da Medusa resulta a vida e Pegasus ganha os céus, liberto, simbolizando a vitória da inteligência, a sua união com a espiritualidade, a sensibilidade que sempre existiu naquele que se julgava o monstro. Assim como Pegasus, quando a pessoa não se aferra em revoltas por não ser quem pensa que deveria ser e em vinganças inúteis, poderá compreender a sua tragédia e perdoá-la. Na condição de Pegasus, será fonte de todas as belezas, da mais pura elevação, da criatividade e da fidelidade. Não é por acaso que Pegasus simboliza a poesia. Porém, se o filho(a) incorporar o lado trágico, errará pela vida sem pertencer a ninguém. Petrificado pelo olhar da mãe será inerte, desenvolvendo sintomas de doenças paralisantes com fantasias de autopunição. E se tornará trágico e sem alegria, ou tentará superar sua dor através do poder e do dinheiro. No entanto, quando consegue, tem tudo e ao mesmo tempo sente-se um nada.

Para não petrificarmos o olhar, as novas Medusas que conseguirem ver-se num espelho, podem se tornar deusas gerando filhos como Pegasus. (MITOLOGIA GREGA, 2010, s/p)

Pelo mito e a leitura realizada, percebemos como a petrificação do olhar é a expressão da eliminação e interdição da presença do outro; um outro que poderá nos refletir no grotesco e trágico de nossa condição quando fora dos deveres ser da estética.

Entretanto, esse reflexo é necessário para sairmos da paralização, do peso, do cansaço e, na percepção de nossa condição humana, resgatarmos o veneno como sendo o remédio da vida: voltar a habitar-se nas possibilidades do ir sendo!

O olhar paralisante de Medusa é o cansaço da sociedade contemporânea que se deprime para continuar sustentando a crença de que somente seremos alguém se nos adequarmos às condições do rendimento, do ganho, da primazia, do recorde, da estética perfeita, enfim, dos deveres ser que agonizam a todos nós mas que – por medo de olharmos nosso reflexo – continuamos nos iludindo com sua eficácia mágica para sermos.

Diante toda a fundamentação teórica, a apresentação do contexto histórico da contemporaneidade e a dinâmica do modo de ser depressivo apresentados no artigo, finalizo com a frase que sustenta o título: Depressão: quando o pensar vira pesar.

Pensar não é pesar, não é tornar-se presa, não é cansar de combater a própria humanidade e ser paralisado pelo olhar de Medusa, mas ter a possibilidade de escolher e reconhecer a anterioridade e o sentido do Ser em relação ao Ter.

Referências

AMERICAN PSYCHIATRIC ASSOCIATION. *Manual Diagnóstico e Estatístico de Transtornos Mentais.* Tradução de Inês Corrêa Nascimento et al. 5. ed. Porto Alegre: Artmed, 2014.

ARENDT, H. *A condição humana.* Rio de Janeiro: Forense, 1987.

CANETTI, E. *Massa e poder.* São Paulo: Companhia das Letras, 1995.

ENTRALGO, P. L. *Antropología de la esperanza.* Barcelona: Labor, 1978.

HAN, B. C. *La sociedade del cansacio.* Barcelona: Herder Editoriale, 2012.

JASPERS, K. *Psicología de las concepciones del mundo.* Madrid: Editorial Gredos S.A, 1967.

MITOLOGIA GREGA. *Medusa, a vingança e o rancor.* 2010. Disponível em: <http://eventosmitologiagrega.blogspot.com/2010/11/medusa.html>. Acesso em: 26 jul, 2018.

PANIKKAR, R. Compreensão e convicção. In: GADAMER, H. G.; VOGLER, P. *Nova Antropologia*. São Paulo: EPU-USP, 1997.

ORGANIZAÇÃO MUNDIAL DA SAÚDE. *Depression and other common mental disorders*. 2017. Disponível em: <http://apps.who.int/iris/bitstream/handle/10665/254610/WHO-MSD-MER-2017.2-eng.pdf;jsessionid=FA9948812E8BF03E435C56A-C82200018?sequence=1> Acesso em: 01 ago. 2018.

REHFELD, A. Corpo e corporeidade: uma leitura fenomenológica. *Revista de Psicologia do Instituto de Gestalt de São Paulo*, n.1, 2004. Disponível em: < http://fenoegrupos.com.br/JPM-Article3/pdfs/rehfeld_corpo.pdf>. Acesso em: 26 jul, 2018.

ROMERO, E. *Entre a alegria e o desespero humano*: sobre os estados de ânimo. 2. ed. São Paulo: Della Bidia Editora, 2011.

Os autores

Claudia Lins Cardoso

Psicóloga clínica. Mestre em Psicologia Social pela Universidade Gama Filho (RJ). Doutora em Psicologia Clínica pela Pontifícia Universidade Católica do Rio de Janeiro. Professora Associada do Departamento de Psicologia da Faculdade de Filosofia da Universidade Federal de Minas Gerais (UFMG).

José Paulo Giovanetti

Filósofo e psicólogo. Mestre, Doutor e Pós-doutor em Psicologia pela Université Catholique de Louvain. Professor aposentado da Universidade Federal de Minas Gerais (UFMG). Professor Titular da Faculdade dos Jesuítas (FAJE). Autor do livro *Psicoterapia fenomenológico-existencial: fundamentos filosófico-antropológicos*.

Maria Madalena Magnabosco

Psicóloga clínica. Bacharel em Psicologia pela Universidade Federal de Minas Gerais (UFMG). Especialista em Psicopedagogia pelo Centro de Estudos e Pesquisas Educacionais de MG (CEPEMG). Mestre e Doutora em Literatura Comparada pela UFMG e Pós-doutora em

Estudos Culturais pela Universidade do Estado do Rio de Janeiro (UERJ). Autora dos livros: *Outras palavras em psicopatologia* e Evocações do existir.

Miguel Mahfoud

Doutor em Psicologia Social pelo Instituto de Psicologia da Universidade de São Paulo (USP). Professor do Curso de Especialização em Psicologia Clínica: Gestalt-Terapia e Análise Existencial, na Universidade Federal de Minas Gerais (UFMG). Membro do GT Psicologia e Fenomenologia, da Associação Nacional de Pesquisa e Pós-Graduação (ANPEPP).

Saleth Salles Horta

Psicóloga clínica. Bacharel em Psicologia pela Pontifícia Universidade Católica de Minas Gerais (PUC Minas). Especialista em Psicologia Clínica Fenomenológica Existencial pela PUC-MG (1998), Professora do curso de especialização em Psicologia Clínica da Universidade Federal de Minas Gerais (UFMG).

Telma Fulgêncio Colares da Cunha Melo

Psicóloga clínica. Bacharel em Psicologia pela Pontifícia Universidade Católica de Minas Gerais (PUC Minas). Especialista em Psicologia Clínica Fenomenológica Existencial pela PUC-MG. Professora do curso de especialização em Psicologia Clínica da Universidade Federal de Minas Gerais (UFMG). Coordenadora da equipe clinica da Associação dos Pais e Amigos Excepcionais (APAE) de Teófilo Otoni.

Este livro foi composto com tipografia Minion
e impresso em papel Offset 75g.